Dedicatória

Dedico este livro a uma pessoa
muito importante na minha vida:

_____

Você deixou seus sonhos para que eu sonhasse.
Derramou lágrimas para que eu fosse feliz.
Você perdeu noites de sono para que eu dormisse tranquilo.
Acreditou em mim, apesar dos meus erros.
Ser educador é ser um poeta do amor.
Jamais esqueça que eu levarei para sempre
um pedaço do seu ser dentro do meu próprio ser...

_____ / / _____

Augusto Cury

Pais brilhantes, professores fascinantes

Copyright © Augusto Jorge Cury, 2003

preparo de originais
Regina da Veiga Pereira

capa
Raul Fernandes

imagem de capa
plainpicture/Maskot/Katja Kircher

diagramação
Ana Paula Daudt Brandão

revisão
Clara Diament
Gypsi Canetti
Sérgio Bellinello Soares

impressão e acabamento
Associação Religiosa Imprensa da Fé

CIP-BRASIL. CATALOGAÇÃO NA PUBLICAÇÃO
SINDICATO NACIONAL DOS EDITORES DE LIVROS, RJ

C988p Cury, Augusto, 1958
Pais brilhantes, professores fascinantes / Augusto Cury;
Rio de Janeiro: Sextante, 2018.
176 p.; 14 x 21 cm.

ISBN 978-85-431-0272-6

1. Jovens - Psicologia. 2. Jovens - Educação.
3. Professores - Formação. 4. Família. I. Título.

15-26134   CDD: 155.5
                                                      CDU: 159

Todos os direitos reservados, no Brasil, por
GMT Editores Ltda.
Rua Voluntários da Pátria, 45 – Gr. 1.404 – Botafogo
22270-000 – Rio de Janeiro – RJ
Tel.: (21) 2538-4100 – Fax: (21) 2286-9244
E-mail: atendimento@sextante.com.br
www.sextante.com.br

Sumário

Prefácio 9
Para onde caminha a juventude 11

PARTE 1
Sete hábitos dos bons pais e dos pais brilhantes
1 • Bons pais dão presentes, pais brilhantes
  dão seu próprio ser 21
2 • Bons pais nutrem o corpo, pais brilhantes
  nutrem a personalidade 28
3 • Bons pais corrigem erros, pais brilhantes ensinam a pensar... 33
4 • Bons pais preparam os filhos para os aplausos,
  pais brilhantes preparam os filhos para os fracassos 38
5 • Bons pais conversam, pais brilhantes
  dialogam como amigos 42
6 • Bons pais dão informações, pais brilhantes
  contam histórias 47
7 • Bons pais dão oportunidades, pais brilhantes
  nunca desistem 51

PARTE 2
Sete hábitos dos bons professores e dos professores fascinantes
1 • Bons professores são eloquentes, professores
  fascinantes conhecem o funcionamento da mente 57
2 • Bons professores possuem metodologia,
  professores fascinantes possuem sensibilidade 64

3 • Bons professores educam a inteligência lógica,
professores fascinantes educam a emoção 66
4 • Bons professores usam a memória como depósito
de informações, professores fascinantes usam-na
como suporte da arte de pensar 68
5 • Bons professores são mestres temporários,
professores fascinantes são mestres inesquecíveis 72
6 • Bons professores corrigem comportamentos, professores
fascinantes resolvem conflitos em sala de aula. 75
7 • Bons professores educam para uma profissão,
professores fascinantes educam para a vida 79

PARTE 3
Os sete pecados capitais dos educadores
1 • Corrigir publicamente 85
2 • Expressar autoridade com agressividade................ 88
3 • Ser excessivamente crítico: obstruir
a infância da criança. 91
4 • Punir quando estiver irado e colocar
limites sem dar explicações 93
5 • Ser impaciente e desistir de educar 96
6 • Não cumprir com a palavra 98
7 • Destruir a esperança e os sonhos 100

PARTE 4
Os cinco papéis da memória humana
Memória: caixa de segredos da personalidade............. 105
1 • O registro na memória é involuntário................. 106
2 • A emoção determina a qualidade do registro 108
3 • A memória não pode ser deletada..................... 110
4 • O grau de abertura das janelas
da memória depende da emoção 112
5 • Não existe lembrança pura........................... 114

PARTE 5

A escola dos nossos sonhos

O projeto escola da vida 119
  1 • Música ambiente em sala de aula 120
  2 • Sentar em círculo ou em U 123
  3 • Exposição interrogada: a arte da interrogação 126
  4 • Exposição dialogada: a arte da pergunta 129
  5 • Ser contador de histórias 132
  6 • Humanizar o conhecimento 135
  7 • Humanizar o professor: cruzar sua história 138
  8 • Educar a autoestima: elogiar antes de criticar 143
  9 • Gerenciar os pensamentos e as emoções 147
 10• Participar de projetos sociais 151
Aplicação das técnicas do projeto escola da vida 154

PARTE 6

A história da grande torre

Quais são os profissionais mais importantes da sociedade? 159

Considerações finais 167

Referências bibliográficas 170

Prefácio

É uma imensa satisfação pessoal e profissional saber que este livro já vendeu mais de 1,3 milhão de exemplares somente no Brasil e que foi publicado em dezenas de países, tocando pessoas de diferentes culturas e provocando-as intelectualmente com sua mensagem. Escrevi *Pais brilhantes, professores fascinantes* não para heróis, mas para aqueles que sabem que educar é praticar a mais bela e complexa arte da existência. Educar é ter esperança no futuro, mesmo que o presente nos decepcione. É semear com sabedoria e colher com paciência. É ser um garimpeiro que procura os tesouros do coração.

Essa é a meta de todos os educadores que procuram a excelência, que buscam conhecer o funcionamento da mente, que estimulam nos jovens a arte de pensar, observar e interiorizar.

Neste livro, apresento importantes ferramentas que ajudam a formar pensadores e ensinam a expandir a emoção, a ampliar os horizontes da inteligência e a produzir qualidade de vida. Ele falará ao coração de pais e professores que lutam pelo mesmo sonho: o desenvolvimento da saúde psíquica, da felicidade e das funções mais importantes da inteligência.

Pais e professores que são cheios de regras e excessivamente lógicos estão aptos a operar máquinas, mas não a orientar seres humanos. Pais e professores que são especialistas em apontar falhas e criticar erros podem estar habilitados a gerenciar empresas, mas não a formar pensadores.

Não podemos controlar o processo de formação da personalidade de nossos jovens. É necessário ter maturidade, flexibilidade, criatividade, capacidade de surprender, enfim, é necessário trabalhar os hábitos dos pais brilhantes e dos professores fascinantes para contribuirmos para que nossos filhos e alunos tenham mentes saudáveis, inventivas, ousadas, resilientes, seguras, altruístas, tolerantes, pacientes e generosas.

Pense nos desafios de trabalhar o solo da mente de crianças e adolescentes para que eles aprendam a pensar antes de reagir e a expor, e não impor, suas ideias. Como estimular esse nobre fenômeno psíquico? Pense nas dificuldades de ensinar os jovens a proteger sua emoção. Como trabalhar essa função nobre da inteligência se nós, adultos, raramente a conhecemos ou pensamos nela?

Pense na jornada educacional que pais e professores devem empreender no psiquismo dos adolescentes para que eles aprendam a gerenciar pensamentos, debater ideias, lidar com perdas, expressar suas opiniões e respeitar os que pensam diferente.

Educar é um grande desafio. Talvez o maior de todos. Minha intenção é procurar orientar você nesta complexa e fascinante jornada.

Através da minha experiência como psiquiatra, escritor e pesquisador da psicologia, já ajudei muitas pessoas a mudar o rumo de suas vida e a enxergar a educação com outros olhos. Espero continuar contribuindo para a formação de pensadores não só na sala de aula como também em casa e nas empresas.

Este livro é dedicado a todos os pais e professores, aos psicólogos, aos profissionais de recursos humanos, aos jovens e a todos aqueles que desejam conhecer alguns segredos da personalidade, o funcionamento da mente e enriquecer seus relacionamentos.

Colina, setembro de 2010

Para onde caminha a juventude

Há um mundo a ser descoberto dentro de cada criança e de cada jovem. Só não consegue descobri-lo quem está encarcerado dentro do seu próprio mundo.

Nossa geração quis dar o melhor para as crianças e os jovens. Sonhamos grandes sonhos para eles. Procuramos dar os melhores brinquedos, roupas, passeios e escolas. Não queríamos que eles andassem na chuva, se machucassem nas ruas, se ferissem com os brinquedos caseiros e vivessem as dificuldades pelas quais passamos.

Colocamos uma televisão na sala. Alguns pais, com mais recursos, colocaram uma televisão e um computador no quarto de cada filho. Outros encheram seus filhos de atividades, matriculando-os em cursos de inglês, computação, música.

Tiveram uma excelente intenção, só não sabiam que as crianças precisavam ter infância, que necessitavam inventar, correr riscos, frustrar-se, ter tempo para brincar e se encantar com a vida. Não imaginavam o quanto a criatividade, a felicidade, a ousadia e a segurança do adulto dependiam das matrizes da memória e da energia emocional da criança. Não compreenderam que a TV, os brinquedos manufaturados, a

Internet e o excesso de atividades obstruíam a infância dos seus filhos.

Criamos um mundo artificial para as crianças e pagamos um preço altíssimo. Produzimos sérias consequências no território da emoção, no anfiteatro dos pensamentos e no solo da memória deles. Vejamos algumas consequências.

Obstruindo a inteligência das crianças e adolescentes

Esperávamos que no século XXI os jovens fossem solidários, empreendedores e amassem a arte de pensar. Mas muitos vivem alienados, não pensam no futuro, não têm garra e projetos de vida.

Imaginávamos que, pelo fato de aprendermos línguas na escola e vivermos espremidos nos elevadores, no local de trabalho e nos clubes, a solidão seria resolvida. Mas as pessoas não aprenderam a falar de si mesmas, têm medo de se expor, vivem represadas em seu próprio mundo. *Pais e filhos vivem ilhados, raramente choram juntos e comentam sobre seus sonhos, mágoas, alegrias, frustrações.*

Na escola, a situação é pior. Professores e alunos vivem juntos durante anos dentro da sala de aula, mas são estranhos uns para os outros. Eles se escondem atrás dos livros, das apostilas, dos computadores. A culpa é dos ilustres professores? Não! A culpa, como veremos, é do sistema educacional doentio que se arrasta por séculos.

As crianças e os jovens aprendem a lidar com fatos lógicos, mas não sabem lidar com fracassos e falhas. Aprendem a resolver problemas matemáticos, mas não sabem resolver seus conflitos existenciais. São treinados para fazer cálculos e acertá-los, mas a vida é cheia de contradições, as questões emocionais não podem ser calculadas, nem têm conta exata.

Os jovens são preparados para lidar com decepções? Não! Eles são treinados apenas para o sucesso. Viver sem problemas é impossível. O sofrimento nos constrói ou nos destrói. Devemos usar o sofrimento para construir a sabedoria. Mas quem se importa com a sabedoria na era da informática?

Nossa geração produziu informações que nenhuma outra jamais produziu, mas não sabemos o que fazer com elas. Raramente usamos essas informações para expandir nossa qualidade de vida. Você faz coisas fora da sua agenda que lhe dão prazer? Você procura administrar seus pensamentos para ter uma mente mais tranquila? *Nós nos tornamos máquinas de trabalhar e estamos transformando nossas crianças em máquinas de aprender.*

Usando erradamente os papéis da memória

Fizemos da memória de nossas crianças um banco de dados. A memória tem esta função? Não! Veremos que durante séculos a memória foi usada de maneira errada pela escola. Existe lembrança? Inúmeros professores e psicólogos do mundo todo creem sem sombra de dúvida que existe lembrança. Errado! *Não existe lembrança pura do passado, o passado é sempre reconstruído!* É bom ficarmos abalados por esta afirmação. O passado é sempre reconstruído com micro ou macrodiferenças no presente.

Veremos que há diversos conceitos equivocados na ciência sobre o fantástico mundo do funcionamento da mente e da memória humana. Tenho convicção, como psiquiatra e como autor de uma das poucas teorias da atualidade sobre o processo de construção do pensamento, de que estamos obstruindo a inteligência das crianças e o prazer de viver com o excesso de informações que estamos oferecendo a elas. *Nossa memória virou um depósito de informações inúteis.*

A maioria das informações que aprendemos não será organizada na memória e utilizada nas atividades intelectuais. Imagine um pedreiro que a vida toda acumulou pedras para construir uma casa. Após construí-la, ele não sabe o que fazer com as pilhas de pedras que sobraram. Gastou a maior parte do seu tempo inutilmente.

O conhecimento se multiplicou e o número de escolas se expandiu como em nenhuma outra época, mas não estamos produzindo pensadores. A maioria dos jovens, incluindo universitários, acumula pilhas de "pedras", mas constrói pouquíssimas ideias brilhantes. Não é à toa que eles perderam o prazer de aprender. A escola deixou de ser uma aventura agradável.

Paralelamente a isso, a mídia os seduziu com estímulos rápidos e prontos. Eles tornaram-se amantes do fast-food emocional. A TV transporta os jovens, sem que eles façam esforços, para dentro de uma excitante partida esportiva, para o interior de uma aeronave, para o cerne de uma guerra e para dentro de um dramático conflito policial.

Esse bombardeio de estímulos não é inofensivo. Atua num fenômeno inconsciente da minha área de pesquisa, chamado de psicoadaptação, aumentando o limiar do prazer na vida real. Com o tempo, crianças e adolescentes perdem o prazer nos pequenos estímulos da rotina diária.

Eles precisam fazer muitas coisas para ter um pouco de prazer, o que gera personalidades flutuantes, instáveis, insatisfeitas. Temos uma indústria de lazer complexa. Deveríamos ter a geração de jovens mais felizes que já pisaram nesta terra. Mas produzimos uma geração de insatisfeitos.

Estamos informando e não formando

Não estamos educando a emoção nem estimulando o desenvolvimento das funções mais importantes da inteligência, tais como contemplar o belo, pensar antes de reagir, expor e não impor as ideias, gerenciar os pensamentos, ter espírito empreendedor. Estamos informando os jovens, e não formando sua personalidade.

Os jovens conhecem cada vez mais o mundo em que estão, mas quase nada sobre o mundo que são. No máximo conhecem a sala de visitas da sua própria personalidade. Quer pior solidão do que esta? O ser humano é um estranho para si mesmo! A educação tornou-se seca, fria e sem tempero emocional. Os jovens raramente sabem pedir perdão, reconhecer seus limites, se colocar no lugar dos outros. Qual é o resultado?

Nunca o conhecimento médico e psiquiátrico foi tão grande, e nunca as pessoas tiveram tantos transtornos emocionais e tantas doenças psicossomáticas. A depressão raramente atingia as crianças. Hoje há muitas crianças deprimidas e sem encanto pela vida. Pré-adolescentes e adolescentes estão desenvolvendo obsessão, síndrome do pânico, fobias, timidez, agressividade e outros transtornos ansiosos.

Milhões de jovens estão se drogando. Não compreendem que as drogas podem queimar etapas da vida, levá-los a envelhecer rapidamente na emoção. Os prazeres momentâneos das drogas destroem a galinha dos ovos de ouro da emoção. Conheci e tratei de inúmeros jovens usuários de drogas, mas não encontrei ninguém feliz.

E o estresse? Não apenas é comum detectarmos adultos estressados, mas também jovens e crianças. Eles têm frequentemente dor de cabeça, gastrite, dores musculares, suor excessivo, fadiga constante de fundo emocional.

Precisamos arquivar esta frase e jamais esquecê-la: Quanto pior for a qualidade da educação, mais importante será o papel da psiquiatria neste século. Vamos assistir passivamente à indústria dos antidepressivos e tranquilizantes se tornar uma das mais poderosas do século XXI? Vamos observar passivamente nossos filhos serem vítimas do sistema social que criamos? O que fazer diante desta problemática?

Procurando pais brilhantes e professores fascinantes

Devemos procurar soluções que ataquem diretamente o problema. Precisamos conhecer algo sobre o funcionamento da mente e mudar alguns pilares da educação. As teorias não funcionam mais. Bons professores estão estressados e gerando alunos despreparados para a vida. Bons pais estão confusos e gerando filhos com conflitos. Existe no entanto uma grande esperança, mas não há soluções mágicas.

Atualmente, não basta ser bom, pois a crise da educação impõe que procuremos a excelência. Os pais precisam adquirir hábitos dos pais brilhantes para revolucionar a educação. Os professores precisam incorporar hábitos dos educadores fascinantes para atuar com eficiência no pequeno e infinito mundo da personalidade dos seus alunos.

Cada hábito praticado pelos educadores poderá contribuir para desenvolver características fundamentais da personalidade dos jovens. São mais de cinquenta estas características. Entretanto, raramente um jovem tem cinco delas bem desenvolvidas.

Precisamos ser educadores muito acima da média se quisermos formar seres humanos inteligentes e felizes, capazes de sobreviver nessa sociedade estressante. A boa notícia é que pais ricos ou pobres, professores de escolas ricas ou carentes podem igualmente praticar os hábitos e técnicas propostos aqui.

Um excelente educador não é um ser humano perfeito, mas alguém que tem serenidade para se esvaziar e sensibilidade para aprender.

PARTE 1
Sete hábitos dos bons pais e dos pais brilhantes

*Os filhos não precisam de pais gigantes,
mas de seres humanos que falem a sua linguagem
e sejam capazes de penetrar-lhes o coração.*

1
Bons pais dão presentes, pais brilhantes dão seu próprio ser

Este hábito dos pais brilhantes contribui para desenvolver em seus filhos: autoestima, proteção da emoção, capacidade de trabalhar perdas e frustrações, de filtrar estímulos estressantes, de dialogar, de ouvir.

Bons pais atendem, dentro das suas condições, os desejos dos seus filhos. Fazem festas de aniversário, compram tênis, roupas, produtos eletrônicos, proporcionam viagens. Pais brilhantes dão algo incomparavelmente mais valioso aos filhos. Algo que todo o dinheiro do mundo não pode comprar: o seu ser, a sua história, as suas experiências, as suas lágrimas, o seu tempo.

Pais brilhantes, quando têm condições, dão presentes materiais para seus filhos, mas não os estimulam a ser consumistas, pois sabem que o consumismo pode esmagar a estabilidade emocional, gerar tensão e prazeres superficiais. Os pais que vivem em função de dar presentes para seus filhos são lembrados por um momento. Os pais que se preocupam em dar a sua história aos filhos se tornam inesquecíveis.

Você quer ser um pai ou uma mãe brilhante? Tenha coragem de falar sobre os dias mais tristes da sua vida com seus filhos. Tenha ousadia de contar sobre suas dificuldades do passado. Fale das suas aventuras, dos seus sonhos e dos momentos mais alegres de sua existência. Humanize-se. Transforme a relação com seus filhos numa aventura. Tenha consciência de que educar é penetrar um no mundo do outro.

Muitos pais trabalham para dar o mundo aos filhos, mas se esquecem de abrir o livro da sua vida para eles. Infelizmente, seus filhos só vão admirá-los no dia em que eles morrerem. Por que é fundamental para a formação da personalidade dos filhos que os pais se deixem conhecer?

Porque esta é a única maneira de educar a emoção e criar vínculos sólidos e profundos. Quanto mais inferior é a vida de um animal, menos dependente ele é dos seus progenitores. Nos mamíferos há uma dependência grande dos filhos em relação aos pais, pois eles *necessitam* não apenas do instinto, mas de aprender experiências com seus pais para poderem sobreviver.

Na nossa espécie essa dependência é intensa. Por quê? Porque as experiências aprendidas são mais importantes do que as instintivas. Uma criança de sete anos é muito imatura e dependente dos seus pais, enquanto muitos animais com a mesma idade já são idosos.

Como ocorre esse aprendizado? Eu poderia escrever centenas de páginas sobre o assunto, mas neste livro comentarei apenas alguns fenômenos envolvidos no processo. O aprendizado depende do registro diário de milhares de estímulos externos (visuais, auditivos, táteis) e internos (pensamentos e reações emocionais) nas matrizes da memória. Anualmente arquivamos milhões de experiências. Diferentemente dos computadores, o registro em nossa memória é involuntário, produzido pelo fenômeno RAM (registro automático da memória).

Nos computadores, decidimos o que registrar; na memória humana, o registro não depende da vontade humana. Todas as imagens que captamos são registradas automaticamente. Todos os pensamentos e emoções – negativos ou saudáveis – são registrados involuntariamente pelo fenômeno RAM.

Os vínculos definem a qualidade da relação

O que seus filhos registram de você? As imagens negativas ou positivas? Todas. Eles arquivam diariamente os seus comportamentos, sejam eles inteligentes ou estúpidos. Você não percebe, mas eles o estão fotografando a cada instante.

O que gera os vínculos inconscientes não é só o que você diz a eles, mas também o que eles veem em você. Muitos pais falam coisas maravilhosas para suas crianças, mas têm péssimas reações na frente delas: são intolerantes, agressivos, parciais, dissimulados. Com o tempo, cria-se um abismo emocional entre pais e filhos. Pouco afeto, mas muitos atritos e críticas.

Tudo que é registrado não pode mais ser deletado, apenas reeditado através de novas experiências sobre experiências antigas. Reeditar é um processo possível, mas complicado. A imagem que seu filho construiu de você não pode mais ser apagada, só reescrita. Construir uma excelente imagem estabelece a riqueza da relação que você terá com seus filhos.

Outro papel importante da memória é que a emoção define a qualidade do registro. Todas as experiências que possuem um alto volume emocional provocam um registro privilegiado. O amor e o ódio, a alegria e angústia *provocam* um registro intenso.

A mídia descobriu, sem ter conhecimentos científicos, que

anunciar as misérias humanas fisga a emoção e gera concentração. De fato, acidentes, mortes, doenças, sequestros geram alto volume de tensão, conduzindo a um arquivamento privilegiado dessas imagens. Nossa memória tornou-se assim uma lata de lixo. Não é à toa que o homem moderno é um ser intranquilo, que sofre por antecipação e tem medo do amanhã.

Fica mais barato perdoar

Se você tem um inimigo, fica mais barato perdoá-lo. Faça isso por você. Caso contrário, o fenômeno RAM o arquivará privilegiadamente. O inimigo dormirá com você e perturbará seu sono. Compreenda as suas fragilidades e perdoe-o, pois só assim você ficará livre dele. *Ensine seus filhos a fazer do palco da sua mente um teatro de alegria, e não um palco de terror.* Leve-os a perdoar as pessoas que os decepcionam. Explique a eles este mecanismo.

Nossas agressividades, rejeições e atitudes impensadas podem criar um alto volume de tensão emocional em nossos filhos, gerando cicatrizes para sempre. Precisamos entender como se organizam as características doentias da personalidade.

O mecanismo psíquico é o seguinte: uma experiência dolorosa é registrada automaticamente no centro da memória. A partir daí ela é lida continuamente, gerando milhares de outros pensamentos. Estes pensamentos são novamente registrados, gerando as chamadas zonas de conflitos no inconsciente.

Se você errou com seu filho, é insuficiente apenas ser dócil com ele num segundo momento. Pior ainda, não tente compensar sua agressividade comprando-o, dando-lhe coisas. Deste modo, ele o manipulará e não o amará. Você só reparará sua atitude e reeditará o filme do inconsciente se penetrar no mundo dele, se reconhecer seu exagero, se falar com ele sobre sua atitude. *Declare a seus filhos que eles não estão no rodapé da sua vida, mas nas páginas centrais da sua história.*

Nos divórcios é comum o pai prometer aos filhos que jamais os abandonará. Mas quando diminui a temperatura da culpa, alguns pais também se divorciam dos seus filhos. Os filhos perdem a sua presença, às vezes não física, mas emocional. Os pais deixam de curtir, sorrir, elogiar e ter momentos agradáveis com os filhos.

Quando isso acontece, o divórcio gera grandes sequelas psíquicas. Se a ponte for bem feita, se a relação continuar a ser poética e afetiva, os filhos sobreviverão à turbulência da separação dos seus pais e poderão amadurecer.

Seus filhos não precisam de gigantes

A individualidade deve existir, pois ela é o alicerce da identidade da personalidade. Não há homogeneidade no processo de aprender e no desenvolvimento das crianças (Vigotsky, 1987). Não há duas pessoas iguais no universo. Mas o individualismo é prejudicial. Uma pessoa individualista quer que o mundo gire em torno de sua órbita, sua satisfação está em primeiro lugar, mesmo se isso implicar o sofrimento dos outros.

Uma das causas do individualismo entre os jovens é que os pais não cruzam a sua história com a de seus filhos. Mesmo que você trabalhe muito, faça do pouco tempo disponível grandes momentos de convívio com seus filhos. Role no tapete. Faça poesias. Brinque, sorria, solte-se. Perturbe-os prazerosamente.

Certa vez, um filho de nove anos perguntou a um pai, que era médico, quanto ele cobrava por consulta. O pai disse-lhe o valor. Passado um mês, o filho aproximou-se do pai, tirou algumas notas do bolso, esvaziou seu cofre de moedas e disse-lhe com os olhos cheio de lágrimas: "Pai, faz tempo que eu quero conversar com você, mas você não tem tempo. Consegui juntar o valor de uma consulta. Você pode conversar comigo?"

Seus filhos não precisam de gigantes, precisam de seres humanos. Não precisam de executivos, médicos, empresários, administradores de empresa, mas de você, do jeito que você é. Adquira o hábito de abrir seu coração para os filhos e deixá-los registrar uma imagem excelente da sua personalidade. Sabe o que acontecerá?

Eles se apaixonarão por você. Terão prazer em procurá-lo, em estar perto de você. Quer coisa mais gostosa do que isto? A crise financeira, as perdas ou as dificuldades poderão arremeter-se sobre a relação de vocês, mas, se ela tem alicerces, nada a destruirá.

De vez em quando, chame um dos seus filhos sozinho e almoce ou faça programas diferentes com ele. Diga o quanto ele é importante para você. Pergunte como está a vida dele. Fale sobre seu trabalho e seus desafios. Deixe seus filhos participarem da sua vida. *Nenhuma técnica psicológica funcionará se o amor não funcionar.*

Se você passar por uma guerra no trabalho, mas tiver paz quando chegar em casa, será um ser humano feliz. Mas, se você tiver alegria fora de casa e viver uma guerra na sua família, a infelicidade será sua amiga.

Muitos filhos reconhecem o valor dos seus pais, mas não o suficiente para admirá-los, respeitá-los, tê-los como mestres da vida. Os pais que estão tendo dificuldades com os filhos não devem sentir-se culpados. A culpa engessa a alma. Na personalidade humana nada é definitivo.

Você pode e deve reverter esse quadro. Você tem experiências riquíssimas que transformam sua história num filme mais interessante do que os de Hollywood. Se você duvida disso é porque talvez nem se conheça e, pior ainda, nem mesmo se admire.

Liberte a criança feliz que está em você. Liberte o jovem alegre que vive na sua emoção, mesmo que seus cabelos já tenham embranquecido. É possível recuperar os anos. Deixe seus filhos descobrirem seu mundo.

Abra-se, chore e abrace-os. *Chorar e abraçar são mais importantes do que dar-lhes fortunas ou fazer-lhes montanhas de críticas.*

2
Bons pais nutrem o corpo, pais brilhantes nutrem a personalidade

Este hábito dos pais brilhantes contribui para desenvolver: reflexão, segurança, liderança, coragem, otimismo, superação do medo, prevenção de conflitos.

Bons pais cuidam da nutrição física dos filhos. Estimulam-nos a ter uma boa dieta, com alimentos saudáveis, tenros e frescos. Pais brilhantes vão além. Sabem que a personalidade precisa de uma excelente nutrição psíquica. Preocupam-se com os alimentos que enriquecem a inteligência e a emoção.

Antigamente uma família estruturada era uma garantia de que os filhos desenvolveriam uma personalidade saudável. Hoje, bons pais estão produzindo filhos ansiosos, alienados, autoritários, angustiados. Muitos filhos de médicos, juízes, empresários estão atravessando graves conflitos. Por que pais inteligentes e saudáveis têm assistido seus filhos adoecerem?

Porque a sociedade se tornou uma fábrica de estresse. Não temos controle sobre o processo de formação da personalidade dos nossos filhos. Nós os geramos e os colocamos desde cedo em contato com um sistema social controlador (Foucault, 1998).

Eles têm contato diariamente com milhares de estímulos sedutores que se infiltram nas matrizes de sua memória. Por exemplo, os pais ensinam os filhos a ser solidários e a consumir o necessário, mas o sistema ensina o individualismo e a consumir sem necessidade.

Quem ganha essa disputa? O sistema social. A quantidade de estímulos e a pressão emocional que o sistema exerce no âmago dos jovens são intensas. Quase não há liberdade de escolha.

Ter cultura, boa condição financeira, excelente relação conjugal e propiciar uma boa escola para os jovens não basta para produzir saúde psíquica. Qualquer animal só consegue escapar das garras de um predador se tiver grandes habilidades. Prepare seus filhos para sobreviverem nas águas turbulentas da emoção e desenvolverem capacidade crítica. Só assim poderão filtrar os estímulos estressantes. Serão livres para escolher e decidir.

Os pais que não ensinam seus filhos a ter uma visão crítica dos comerciais, dos programas de TV, da discriminação social os tornam presas fáceis do sistema predatório. Para este sistema, por mais ético que ele pretenda ser, seu filho é apenas um consumidor em potencial e não um ser humano. *Prepare seu filho para "ser", pois o mundo o preparará para "ter".*

Alimente a inteligência

Bons pais ensinam os filhos a escovar os dentes, pais brilhantes os ensinam a fazer uma higiene psíquica. Inúmeros pais imploram diariamente para que os filhos façam a higiene bucal. Mas, e a higiene emocional? De que adianta prevenir cáries, se a emoção das crianças se torna uma lata de lixo de pensamentos negativos, manias, medos, reações impulsivas e apelos sociais?

Por favor, ensine os jovens a proteger sua emoção. Tudo que atinge frontalmente a emoção atinge drasticamente a memória e constituirá a personalidade. Certa vez, um excelente jurista me disse no consultório que, se tivesse sabido proteger a sua emoção desde pequeno, sua vida não teria sido um drama. Ele fora rejeitado quando criança por alguém próximo, porque tinha um defeito na face. A rejeição controlou sua alegria. O defeito não era grande, mas o fenômeno RAM registrou-o e realimentou-o. Não teve infância. Escondia-se das pessoas. Vivia só no meio da multidão.

Ajude seus filhos a não serem escravos dos seus problemas. Alimente o anfiteatro dos pensamentos e o território da emoção deles com coragem e ousadia. Não se conforme se eles forem tímidos e inseguros.

O "eu", que representa a vontade consciente ou a liberdade de decidir, tem de ser treinado para tornar-se líder e não um fantoche. Ser líder não quer dizer ter capacidade para resolver tudo e assumir todos os problemas à nossa volta. Os problemas sempre existirão. Se forem solucionáveis, temos de resolvê-los. Se não temos condições de resolvê-los, precisamos aceitar nossas limitações. Mas jamais devemos gravitar na órbita deles.

Se você tivesse a capacidade de entrar no palco da mente dos jovens, constataria que muitos são atormentados por pensamentos ansiosos. Alguns se angustiam com as provas escolares. Outros, com cada curva do corpo que detestam. Outros ainda acham que ninguém gosta deles. Muitos jovens têm uma péssima autoestima. Quando a baixa autoestima nasce, a alegria morre.

Certa vez, um jovem de dezesseis anos me procurou após uma palestra. Disse que diariamente destruía sua tranquilidade ao pensar que um dia ficaria velho e morreria. Ele estava começando a vida, mas se perturbava com seu fim. Quantos jovens não estão sofrendo, sem que nem mesmo seus pais ou seus professores lhes perscrutem o coração? O cárcere da emoção tem aprisionado milhões de jovens. Eles sofrem em silêncio. Depois de fechar as páginas deste livro, converse com eles.

Que educação é esta que fala sobre o mundo em que estamos e se cala sobre o mundo que somos? Pergunte sempre aos seus filhos: "O que está acontecendo com você?", "Você precisa de mim?", "Você tem vivido alguma decepção?", "O que eu posso fazer para torná-lo mais feliz?".

De que adianta você cuidar diariamente da nutrição de bilhões de células dos seus filhos mas descuidar da nutrição psicológica? De que adianta terem um corpo saudável se são infelizes, instáveis, sem proteção emocional, fogem dos seus problemas, têm medo das críticas, não sabem receber um "não"? Nenhum pai no mundo daria alimento estragado aos filhos, mas fazemos isso com a nutrição psicológica. Não percebemos que tudo que eles arquivam controlará suas personalidades.

Alimente a personalidade de seus filhos com sabedoria e tranquilidade. Fale das suas peripécias, dos seus momentos de hesitação, dos vales emocionais que atravessou. Não deixe que o solo da sua memória se transforme numa terra de pesadelos, mas num jardim de sonhos.

Não se esqueça de que tropeçamos nas pequenas pedras e não nas montanhas. As pequenas pedras no inconsciente se transformam em grandes colinas.

O pessimismo é um câncer da alma

Você pode não ter dinheiro, mas, se for rico em bom senso, será um pai ou uma mãe brilhante. Se você contagiar seus filhos com seus sonhos e entusiasmo, a vida será enaltecida. Se for um especialista em reclamar, se mostrar medo da vida, temor pelo amanhã, preocupações excessivas com doenças, estará paralisando a inteligência e a emoção deles.

Sabe quanto tempo demora um conflito psíquico, sem tratamento e sem fundo genético, para ter remissão espontânea? Às vezes, três gerações. Por exemplo, se um pai tem obsessão por doenças, um dos filhos poderá registrar esta obsessão continuamente e reproduzi-la. O neto poderá tê-la com menos intensidade. Somente o bisneto poderá ficar livre dela. Quem estuda os papéis da memória sabe da gravidade do processo de transmissão das mazelas psíquicas.

Demonstre força e segurança aos seus filhos. Diga frequentemente a eles: "A verdadeira liberdade está dentro de você", "Não seja frágil diante das suas preocupações!", "Enfrente as suas manias e ansiedade", "Opte por ser livre! Cada pensamento negativo deve ser combatido, para não ser registrado".

O verdadeiro otimismo é construído pelo enfrentamento dos problemas e não pela sua negação. Por isso, as palestras de motivação *raramente funcionam*. Elas não dão ferramentas para gerar um otimismo sólido, que nutre o "eu" como líder do teatro da inteligência. Por isso, a linha deste livro é de divulgação científica. Meu objetivo é dar ferramentas.

De acordo com pesquisas em universidades americanas, uma pessoa otimista tem 30% de chances a menos de ter doenças cardíacas. Os otimistas têm menos chances ainda de ter doenças emocionais e psicossomáticas.

O pessimismo é um câncer da alma. Muitos pais são vendedores de pessimismo. Já não basta o lixo social que a mídia deposita no palco da mente dos jovens, muitos pais transmitem para eles um futuro sombrio. Tudo lhes é difícil e perigoso. Estão preparando os filhos para temer a vida, fechar-se num casulo, viver sem poesia. Nutra seus filhos com um otimismo sólido!

Não devemos formar super-homens, como preconizava Nietzsche. *Pais brilhantes não formam heróis, mas seres humanos que conhecem seus limites e sua força.*

3
Bons pais corrigem erros, pais brilhantes ensinam a pensar

Este hábito dos pais brilhantes contribui para desenvolver: consciência crítica, pensar antes de reagir, fidelidade, honestidade, capacidade de questionar, responsabilidade social.

Bons pais corrigem falhas, pais brilhantes ensinam os filhos a pensar. Entre corrigir erros e ensinar a pensar existem mais mistérios do que imagina nossa vã psicologia.

Não seja um perito em criticar comportamentos inadequados, seja um perito em fazer seus filhos refletirem. As velhas broncas e os conhecidos sermões definitivamente não funcionam, só desgastam a relação.

Quando você abre a boca para repetir as mesmas coisas, detona um gatilho inconsciente que abre determinados arquivos da memória que contêm as velhas críticas. Seus filhos já saberão tudo o que você vai dizer. Eles se armarão e se defenderão. Consequentemente, o que você disser não ecoará dentro deles, não gerará um momento educacional. Este processo é inconsciente.

Quando seu filho erra, ele já espera uma atitude sua. Se o que você diz não causa um impacto na sua emoção, o fenômeno RAM não produzirá um registro inteligente, e, consequentemente, não haverá crescimento, mas sofrimento. Não insista em repetir as mesmas coisas para os mesmos erros, para as mesmas teimosias.

Às vezes, insistimos anos a fio dizendo as mesmas coisas, e os jovens continuam repetindo as mesmas falhas. Eles são teimosos e nós, estúpidos. **Educar não é repetir palavras, é criar ideias, é encantar.** Os mesmos erros merecem novas atitudes.

Se nossos filhos fossem computadores, poderíamos repetir a mesma reação para corrigir o mesmo defeito. Mas eles possuem uma inteligência complexa. Diariamente, pelo menos quatro fenômenos leem a memória e, em meio a bilhões de opções, produzem milhares de cadeias de pensamentos e inúmeras transformações da energia emocional. Não é objeto deste livro estudar os quatro fenômenos que leem a memória; aqui apenas os citarei: o gatilho da memória, a janela da memória, o autofluxo e o "eu", que representa a vontade consciente.

A personalidade das crianças e dos jovens está em constante ebulição, porque nunca se interrompe a construção de pensamentos. É impossível parar de pensar, até a tentativa de interrupção do pensamento já é um pensamento. Nem ao dormir interrompemos os pensamentos, por isso sonhamos. Pensar é inevitável, mas pensar demais, como estudaremos, gera um desgaste violento de energia cerebral, prejudicando drasticamente a qualidade de vida.

Não seja um manual de regras

Os computadores são pobres engenhocas comparados à inteligência de qualquer criança, mesmo das crianças especiais. Mas insistimos em educar nossos filhos como se fossem aparelhos lógicos que precisam apenas seguir um manual de regras. Cada jovem é um mundo a ser explorado.

Regras são boas para consertar computadores. Dizer "faça isso" ou "não faça aquilo", sem explicar as causas, sem estimular a arte de pensar, produz robôs e não jovens que pensam.

Creio que 99% das críticas e das correções dos pais são inúteis, não influenciam a personalidade dos jovens. Além de não educar, elas geram mais agressividade e distanciamento. O que fazer? Surpreendê-los!

Pais brilhantes conhecem o funcionamento da mente para educar melhor. Eles têm consciência de que precisam ganhar primeiro o território da emoção, para depois ganhar o anfiteatro dos pensamentos e, em último lugar, conquistar os solos conscientes e inconscientes da memória, que é a caixa de segredos da personalidade. Eles surpreendem a emoção com gestos ímpares. Deste modo, geram fantásticos momentos educacionais.

Os pais podem ler durante décadas minha teoria, as ideias de Piaget, a psicanálise de Freud, as inteligências múltiplas de Gardner, a filosofia de Platão, mas, se não conseguirem encantar, ensinar a pensar e conquistar o armazém da memória dos seus filhos, nenhum estudo terá aplicabilidade e validade.

Surpreender os filhos é dizer coisas que eles não esperam, reagir de modo diferente diante dos seus erros, superar as suas expectativas. Por exemplo: seu filho acabou de levantar a voz para você. O que fazer? Ele espera que você grite e o castigue! Mas, em vez disso, você inicialmente se cala, relaxa e depois diz algo que o deixa pasmo: "Eu não esperava que você me ofendesse desse jeito. Apesar da dor que você me causou, eu amo e respeito muito você." Após dizer essas palavras, o pai sai de cena e deixa o filho pensar. A resposta do pai abalará os alicerces de sua agressividade.

Se você quiser causar um impacto enorme no universo emocional e racional dos seus filhos, use de criatividade e sinceridade. Você conquistará os inconquistáveis. Se aplicar esses princípios no trabalho, tenha certeza de que você envolverá até os colegas mais complicados. Entretanto, não é apenas com um gesto que você garantirá a conquista, mas através de uma pauta de vida.

Se você educa a inteligência emocional dos seus filhos com elogios quando eles esperam uma bronca (Goleman, 1996), com um encorajamento quando eles esperam uma reação agressiva, com uma atitude afetuosa quando eles esperam um ataque de raiva, eles se encantarão e registrarão você com grandeza. Os pais se tornarão assim agentes de mudança.

Bons pais dizem aos filhos: "Você está errado." Pais brilhantes dizem: "O que você acha do seu comportamento?" Bons pais dizem: "Você falhou de novo." Pais brilhantes dizem: "Pense antes de reagir." Bons pais punem quando os filhos fracassam; pais brilhantes os estimulam a fazer de cada lágrima uma oportunidade de crescimento.

Geração do hambúrguer emocional

A juventude sempre foi uma fase de rebeldia às convenções dos adultos. Mas a atual geração produziu um feito único na História: matou a arte de pensar e a capacidade de contestação da juventude. Os jovens raramente contestam o comportamento dos adultos. Por quê?

Porque eles amam o veneno que produzimos. Eles amam o sucesso rápido, o prazer imediato, os holofotes da mídia, ainda que vivam no anonimato. O excesso de estímulo gerou uma emoção flutuante, sem capacidade contemplativa. Até seus modelos de vida têm de ter um sucesso explosivo. Querem ser personagens como artistas ou esportistas que, do dia para a noite, conquistam fama e aplausos.

Os jovens vivem a geração do "hambúrguer emocional". Detestam a paciência. Não sabem contemplar o belo nas pequenas coisas da vida. Não lhes peça para admirarem as flores, os entardeceres, as conversas singelas. Para eles tudo é uma chatice. As críticas dos pais e dos professores são insuportáveis, raramente eles as ouvem com atenção.

Como ajudá-los? Saia do lugar-comum. *Uma das coisas mais importantes na educação é levar um filho a admirar seu educador.* Um pai pode ser um trabalhador braçal, mas, se encanta seu filho, será grande dentro dele. Um pai pode ser grande no meio empresarial, ter milhares de funcionários, mas, se não encantar seu filho, será pequeno em sua alma.

Seja um mestre da inteligência, ensine-os a pensar. Deixe-os fotografar a pessoa brilhante que você é. Será que este clamor encontrará um eco?

4
Bons pais preparam os filhos para os aplausos, pais brilhantes preparam os filhos para os fracassos

Este hábito dos pais brilhantes contribui para desenvolver: motivação, ousadia, paciência, determinação, capacidade de superação, habilidade para criar e aproveitar oportunidades.

Bons pais preparam seus filhos para receber aplausos, pais brilhantes os preparam para enfrentar suas derrotas. Bons pais educam a inteligência lógica dos filhos, pais brilhantes educam a sensibilidade.

Estimule seus filhos a ter metas, a procurar o sucesso no estudo, no trabalho, nas relações sociais, mas não pare por aí. Leve-os a não ter medo dos seus insucessos. Não há pódio sem derrotas. Muitos não sobem no pódio, não por não terem capacidade, mas porque não souberam superar os fracassos do caminho. Muitos não conseguem brilhar no seu trabalho porque desistiram nos primeiros obstáculos.

Alguns não venceram porque não tiveram paciência para suportar um não, porque não tiveram ousadia para enfrentar algumas críticas, nem humildade para reconhecer suas falhas.

A perseverança é tão importante quanto a habilidade intelectual. *A vida é uma longa estrada que tem curvas imprevisíveis e derrapagens inevitáveis.* A sociedade nos prepara para os dias de glória, mas são os dias de frustração que dão sentido a essa glória.

Revelando maturidade, os pais brilhantes se colocam como modelos de vida para uma vida vitoriosa. Para eles, ter sucesso não é ter uma vida infalível. Vencer não é acertar sempre. Por isso, eles são capazes de dizer aos filhos: "Eu errei", "Desculpe-me", "Eu preciso de você". Eles são fortes nas convicções, mas flexíveis para admitir suas fragilidades. *Pais brilhantes mostram que as mais belas flores surgem após o mais rigoroso inverno.*

A vida é um contrato de risco

Pais que não têm coragem de reconhecer seus erros nunca ensinarão seus filhos a enfrentar seus próprios erros e a crescer com eles. Pais que admitem que estão sempre certos nunca ensinarão seus filhos a transcender seus fracassos. Pais que não pedem desculpas nunca ensinarão seus filhos a lidar com a arrogância. Pais que não revelam seus temores terão sempre dificuldade de ensinar seus filhos a ver nas perdas oportunidades para serem mais fortes e experientes. Temos agido assim com nossos filhos, ou desempenhamos apenas as obrigações triviais da educação?

Viver é um contrato de risco. Os jovens precisam viver este contrato apreciando os desafios e não fugindo deles. Se eles se intimidarem diante das derrotas e dificuldades, o fenômeno RAM registrará em sua memória milhares de experiências que financiarão o complexo de inferioridade, a baixa autoestima e o sentimento de incapacidade. Qual é a consequência?

Um jovem que tem baixa autoestima se sentirá diminuído, inferiorizado, sem capacidade para correr risco e para transformar suas metas em realidade. Poderá viver um envelhecimento emocional precoce. A juventude deveria ser a melhor época do prazer, embora tenha suas inquietações. Mas muitos são velhos no corpo de jovens. Ser idoso não quer dizer ser velho. Aliás, muitos idosos, por serem felizes e motivados, são mais jovens na sua emoção do que grande parte dos jovens da atualidade.

Qual é a característica de uma emoção envelhecida, sem tempero e motivação? Incapacidade de contemplação do belo e uma capacidade intensa de reclamar, pois nada satisfaz prolongadamente. Reclamar do corpo, da roupa, dos amigos, da falta de dinheiro, da escola e até de ter nascido.

A *capacidade de reclamar é o adubo da miséria emocional e a capacidade de agradecer é o combustível da felicidade.* Muitos jovens fazem muitas coisas para ter uma migalha de prazer. Eles mendigam o pão da alegria, mesmo morando em palácios.

Os jovens que se tornam mestres em reclamar têm grande desvantagem competitiva. Dificilmente conquistarão espaço social e profissional. Alerte-os!

Como os jovens entendem o que é a memória dos computadores, compare-a com a memória humana. Diga-lhes que toda reclamação é acompanhada de um alto grau de tensão, que, por sua vez, sofre um arquivamento privilegiado pelo fenômeno RAM na memória, que lentamente destrói o júbilo da emoção. Os melhores anos da vida são sufocados. Pouco a pouco, eles perdem o sorriso, a garra, a motivação.

Descobrindo a grandeza das coisas anônimas

Leve seus filhos a encontrar os grandes motivos para serem felizes nas pequenas coisas. *Uma pessoa emocionalmente superficial precisa de grandes eventos para ter prazer, uma pessoa profunda encontra prazer nas coisas ocultas,* nos fenômenos aparentemente imperceptíveis: no movimento das nuvens, no bailar das borboletas, no abraço de um amigo, no beijo de quem ama, num olhar de cumplicidade, no sorriso solidário de um desconhecido.

Felicidade não é obra do acaso, felicidade é um treinamento. Treine as crianças para serem excelentes observadoras. Saia pelos campos ou pelos jardins, faça-as acompanhar o desabrochar de uma flor e descubra juntamente com elas o belo invisível. Sinta com seus olhos as coisas lindas que estão a seu redor.

Leve os jovens a enxergar os singelos momentos, a força que surge nas perdas, a segurança que brota no caos, a grandeza que emana dos pequenos gestos. As montanhas são formadas por ocultos grãos de areia.

As crianças serão felizes se aprenderem a contemplar o belo nos momentos de glória e de fracassos, nas flores das primaveras e nas folhas secas do inverno. Eis o grande desafio da educação da emoção!

Para muitos, a felicidade é loucura dos psicólogos, delírio dos filósofos, alucinação dos poetas. Eles não entenderam que *os segredos da felicidade se escondem nas coisas simples e anônimas, tão distantes e tão próximas deles.*

5
Bons pais conversam, pais brilhantes dialogam como amigos

Este hábito dos pais brilhantes contribui
para desenvolver: solidariedade,
companheirismo, prazer de viver, otimismo,
inteligência interpessoal.

Vimos que o primeiro hábito dos pais brilhantes é deixar seus filhos conhecê-los; o segundo é nutrir a personalidade deles; o terceiro é ensiná-los a pensar; o quarto é prepará-los para as derrotas e dificuldades da vida. Agora, precisamos compreender que a melhor maneira de desenvolver todos esses hábitos é adquirir um quinto hábito: dialogar.

Bons pais conversam, pais brilhantes dialogam. Entre conversar e dialogar há um grande vale. *Conversar é falar sobre o mundo que nos cerca, dialogar é falar sobre o mundo que somos.* Dialogar é contar experiências, é segredar o que está oculto no coração, é penetrar além da cortina dos comportamentos, é desenvolver inteligência interpessoal (Gardner, 1995).

A maioria dos educadores não consegue atravessar essa cortina. De acordo com uma pesquisa que realizei, mais de 50% dos pais nunca tiveram a coragem de dialogar com seus filhos sobre seus medos, perdas, frustrações.

Como é possível que pais e filhos vivam debaixo do mesmo teto por anos a fio e permaneçam completamente ilhados? Eles dizem que se amam, mas gastam pouca energia para cultivar o amor. Eles cuidam da parede trincada, dos problemas do carro, mas não cuidam dos trincos da emoção e dos problemas da relação.

Quando uma simples torneira está vazando, os pais se preocupam em repará-la. Mas será que eles gastam tempo dialogando com os seus filhos para ajudá-los a reparar a alegria, a segurança ou a sensibilidade que está se dissipando?

Se pegássemos todo o dinheiro de uma empresa e o jogássemos no lixo, estaríamos cometendo um grave crime contra ela. Ela iria à falência. Será que não temos cometido este crime contra a mais fascinante empresa social – a família –, cuja única moeda é o diálogo? Se destruirmos o diálogo, como se sustentará a relação "pais e filhos"? Ela irá à falência.

Devemos adquirir o hábito de nos reunir pelo menos semanalmente com nossos filhos, para dialogar com eles. Devemos dar-lhes liberdade para que possam falar de si mesmos, das suas inquietações e das dificuldades de relacionamento com os irmãos e conosco, seus pais. Vocês não imaginam o que essas reuniões podem provocar.

Se os pais nunca contaram para seus filhos os seus mais importantes sonhos, e também nunca ouviram deles as suas maiores alegrias e suas decepções mais marcantes, eles formarão um grupo de estranhos e não uma família. Não há mágica para construir uma relação saudável. O diálogo é insubstituível.

Procurando amigos

Há um mundo a ser descoberto dentro de cada jovem, mesmo dos mais complicados e isolados. Muitos jovens são agressivos e rebeldes, e seus pais não percebem que eles estão gritando através de seus conflitos. *Os comportamentos inadequados muitas vezes são clamores que imploram a presença, o carinho e a atenção dos pais.*

Muitos sintomas psicossomáticos, tais como dores de cabeça ou dores abdominais, também são gritos silenciosos dos filhos. Quem os ouve? Muitos pais levam seus filhos a psicólogos, o que pode ajudar, mas, no fundo, o que eles estão procurando é o coração dos pais.

Uma sugestão: se você tiver condições, desligue a TV aberta e fique apenas com a fechada. Se tomar esta atitude, provavelmente você ficará espantado com o salto na relação de seus filhos com os irmãos e com você. Eles serão mais afetuosos, dialogarão mais, terão mais tempo para brincar e se divertir. Assistirão a menos canais apelativos e a mais canais contemplativos, que falam sobre natureza e ciência.

E quem não tem TV fechada? Aqui vai uma outra sugestão para todos os pais, ainda mais importante do que a primeira. Chamo-a de "projeto da educação da emoção" (PEE): desliguem a TV durante uma semana completa a cada dois meses e realizem coisas interessantes com seus filhos. Planejem passar seis semanas ao longo do ano com eles. *Pais e filhos, mesmo que não viajem para lugares longínquos, devem viajar para dentro uns dos outros.*

Combinem o que farão. Vão para a cozinha juntos, inventem novos pratos, contem piadas, façam teatro familiar, plantem flores, conheçam coisas interessantes. Fiquem todas as noites com seus filhos em cada uma dessas semanas. Façam do PEE um projeto de vida.

O maior desejo dos pais deveria ser que seus filhos fossem seus amigos: diplomas, dinheiro, sucesso são consequências de uma educação brilhante. Eu tenho três filhas. Se elas não se tornarem minhas amigas, serei frustrado como pai, mesmo que seja um escritor mundialmente respeitado.

Apesar de ser especialista em conflitos psíquicos, eu também erro, e não poucas vezes. Mas o importante é saber o que fazer com os erros. Eles podem construir a relação ou destruí-la. Por diversas vezes, pedi desculpas às minhas filhas quando exagerei em minhas atitudes, fiz julgamentos precipitados ou levantei minha voz desnecessariamente. Assim, elas aprenderam comigo a se desculpar e a reconhecer seus excessos.

Algumas pessoas que me viram tomar essa atitude ficaram impressionadas. Diziam: "O Cury está pedindo desculpas para suas filhas?" Nunca viram um pai reconhecer erros e se desculpar, ainda mais um psiquiatra. Muitos filhos de psicólogos e psiquiatras adquirem conflitos porque os pais não se humanizam, não conseguem falar ao coração deles e ser admirados por eles.

Não quero filhas que me temam, quero que elas me amem. Felizmente, elas são apaixonadas por mim e por minha esposa. Se há amor, a obediência é espontânea e natural. *Não há coisa mais linda, mais poética, do que pais serem grandes amigos dos seus filhos.*

A pérola do coração

Abraçar, beijar e falar espontaneamente com os filhos cultiva a afetividade, rompe os laços da solidão. Muitos europeus e americanos sofrem de profunda solidão. Eles não sabem tocar seus filhos e dialogar abertamente com eles. Moram na mesma casa, mas vivem em mundos diferentes. O toque e o diálogo são mágicos, criam uma esfera de solidariedade, enriquecem a emoção e resgatam o sentido da vida.

Muitos jovens cometem suicídio nos países desenvolvidos, porque raramente alguém penetra no mundo deles e é capaz de ouvi-los sem preconceito. Existe um conceito errado na psiquiatria sobre o suicídio. Quem comete atos de suicídio não quer matar a vida, mas sim a sua dor.

Todas as pessoas que pensam em morrer no fundo têm fome e sede de viver. O que elas querem destruir é o sofrimento causado por seus conflitos, a solidão que as abate, a angústia que as solapa. Fale isso para as pessoas deprimidas, e você verá brotar a esperança em seu interior. Na minha experiência, pude ajudar muitos pacientes a encontrar coragem para mudar as rotas da sua vida por dizer tais palavras. Alguns entravam no consultório desejosos de morrer, mas saíam convencidos de que amavam desesperadamente viver.

Numa sociedade em que pais e filhos não são amigos, a depressão e outros transtornos emocionais encontram um meio de cultura ideal para crescerem. A autoridade dos pais e o respeito por parte de seus filhos não são incompatíveis com a mais singela amizade. Por um lado, você não deve ser permissivo nem um joguete nas mãos dos seus filhos, por outro, você deve procurar ser um grande amigo deles.

Estamos na era da admiração. Ou os seus filhos o admiram ou você não terá influência sobre eles. A verdadeira autoridade e o sólido respeito nascem através do diálogo. O diálogo é uma pérola oculta no coração. Ela é tão cara e tão acessível. Cara, porque ouro e prata não a compram; acessível, porque o mais miserável dos homens pode encontrá-la. Procure-a.

6
Bons pais dão informações, pais brilhantes contam histórias

Este hábito dos pais brilhantes contribui para desenvolver: criatividade, inventividade, perspicácia, raciocínio esquemático, capacidade de encontrar soluções em situações tensas.

Bons pais são uma enciclopédia de informações, pais brilhantes são agradáveis contadores de histórias. São criativos, perspicazes, capazes de extrair das coisas mais simples belíssimas lições de vida.

Querem ser pais brilhantes? Não apenas tenha o hábito de dialogar, mas de contar histórias. *Cativem seus filhos pela sua inteligência e afetividade, não pela sua autoridade, dinheiro ou poder.* Tornem-se pessoas agradáveis. Influenciem o ambiente onde eles estão.

Sabe qual é o termômetro que indica se vocês são agradáveis, indiferentes ou insuportáveis? A imagem que os filhos dos seus amigos têm de vocês. Se eles têm prazer em se aproximar, vocês passaram no teste. Se eles os evitam, vocês foram reprovados e terão de rever suas atitudes.

Sempre fui um contador de histórias. Minhas filhas adolescentes me pedem até hoje para contá-las. Os pais que são contadores de histórias não têm vergonha de usar seus erros e dificuldades para ajudar os filhos a mergulhar dentro de si mesmos e encontrar seus caminhos. Quando os filhos estão desesperados, com medo do amanhã, com receio de enfrentar um problema, esses pais entram em cena e criam histórias que transformam a emoção ansiosa dos filhos numa fonte de motivação.

Certa vez, uma de minhas filhas foi criticada por algumas jovens por ser uma pessoa simples, não gostar de ostentação e também por não compactuar com a preocupação excessiva com a estética. Estava se sentindo rejeitada e triste. Após ouvi-la, libertei minha imaginação e contei-lhe uma história. Disse-lhe que algumas pessoas preferem um bonito sol pintado num quadro, outras preferem um sol real, ainda que esteja coberto pelas nuvens. Perguntei-lhe: qual é o sol que você prefere?

Ela pensou e escolheu o sol real. Então, completei, mesmo que as pessoas não acreditem no seu sol, ele está brilhando. Você tem luz própria. Um dia, as nuvens que o encobrem se dissiparão e as pessoas irão enxergá-lo. Não tenha medo das críticas dos outros, tenha medo de perder a sua luz.

Ela nunca mais se esqueceu dessa história. Ficou tão feliz que a contou para várias de suas amigas. *Ser feliz é um treinamento e não uma obra do acaso.* Qual é uma das mais excelentes maneiras de educar? Contar histórias. Contar histórias amplia o mundo das ideias, areja a emoção, dilui as tensões.

A chegada de um novo irmão pode gerar reações agressivas, rejeições, regressões instintivas (ex., perda do controle do ato de urinar) e mudanças de atitude no irmão mais velho, comprometendo a formação da sua personalidade. O bebê se torna, às vezes, um estranho no ninho. Pais habilidosos criam histórias, desde a gestação do bebê, que incluem ambos os irmãos em experiências divertidas e que incentivam o companheirismo. O mais velho incorpora essas histórias, deixa de encarar o mais novo irmão como rival e desenvolve afetividade por ele.

Ensine muito falando pouco

O Mestre dos mestres foi um excelente educador porque era um contador de parábolas. Cada parábola que ele contou há dois mil anos era uma rica história que abria o leque da inteligência, destruía preconceitos e estimulava o pensamento. Este era um dos segredos pelos quais ele vivia rodeado de jovens.

Os jovens apreciam pessoas inteligentes. Para ser inteligente não é preciso ser um intelectual ou um cientista, basta criar histórias e inserir nelas lições de vida. Muitos pais são engessados nas suas mentes. Acham que não são criativos, que não têm perspicácia e inteligência. O que não é verdade. Tenho convicção, como pesquisador da inteligência, de que cada pessoa tem um potencial intelectual enorme que está represado.

Recordo-me de um paciente autista que não produzia qualquer pensamento lúcido. Sua incapacidade intelectual era enorme. Depois de usar algumas ferramentas que estimularam o fenômeno RAM, as janelas da sua memória se abriram. Após dois anos de tratamento, não apenas estava pensando com brilhantismo, mas também contando histórias. Todos os seus colegas de classe ficavam pasmos com sua imaginação. Há um contador de histórias dentro do ser humano mais hermético e fechado.

Se, às vezes, nem você mesmo suporta seu jeito fechado de ser, como quer que seus filhos o ouçam? Não grite, não agrida, não revide com agressividade. Pare! Conte histórias para quem você ama. *Você pode ensinar muito falando pouco.*

Tenha intrepidez para mudar! Seja inventivo. Você pode educar muito se desgastando pouco. Pais brilhantes estimulam seus filhos a vencer seus temores e a viver com suavidade. São contadores de histórias, são vendedores de sonhos. *Se você conseguir fazer seus filhos sonharem, terá um tesouro que muitos reis procuraram e não conquistaram.*

7
Bons pais dão oportunidades, pais brilhantes nunca desistem

Este hábito dos pais brilhantes contribui para desenvolver: apreço pela vida, esperança, perseverança, motivação, determinação e capacidade de se questionar, de superar obstáculos e de vencer fracassos.

Bons pais são tolerantes com alguns erros dos seus filhos, pais brilhantes jamais desistem deles, ainda que os filhos os decepcionem e adquiram transtornos emocionais. O mundo pode não apostar em nossos filhos, mas jamais devemos perder a esperança de que eles se tornem grandes seres humanos.

Pais brilhantes são semeadores de ideias e não controladores dos seus filhos. Eles semeiam no solo da inteligência deles e esperam que um dia suas sementes germinem. Durante a espera pode haver desolação, mas, se as sementes são boas, um dia germinarão, mesmo que os filhos se droguem, não tenham respeito pela vida e não parem em emprego algum.

Talvez alguns pais estejam lendo este livro e chorando. Seus filhos estão vivendo profundas crises. Eles recusam um tratamento e são indiferentes às lágrimas das pessoas que os amam. O que fazer? Desistir deles! Não. Mas comportar-se como o pai do filho pródigo.

O filho desistiu do pai, mas o pai nunca desistiu do filho. O filho partiu, mas o pai o aguardou. O pai esperava diariamente que ele aprendesse na escola da vida as lições que não aprendeu aos seus pés. Por fim, a grande vitória. A dor rompeu a casca das sementes que o pai plantou e lapidou silenciosamente a personalidade do filho. Ele voltou. Adquiriu profundas cicatrizes na alma, mas está mais maduro e experiente. O pai não condenou o filho injusto, mas fez-lhe uma grande festa. Ninguém entendeu. O amor é incompreensível.

Devemos ser poetas na batalha da educação. Podemos chorar, mas jamais desanimar. Podemos nos ferir, mas jamais deixar de lutar. Devemos ver o que ninguém vê. Enxergar um tesouro soterrado nas rústicas pedras do coração dos nossos filhos.

Ninguém se diploma na tarefa de educar

Antigamente, os pais eram autoritários; hoje, são os filhos. Antigamente, os professores eram os heróis dos alunos; hoje, são vítimas deles. Os jovens não sabem ser contrariados. Nunca na história assistimos a crianças e jovens dominando tanto os adultos. Os filhos se comportam como reis cujos desejos têm de ser imediatamente atendidos.

Em primeiro lugar, aprenda a dizer "não" para seus filhos sem medo. *Se eles não ouvirem "não" dos seus pais, estarão despreparados para ouvir "não" da vida.* Não terão chance de sobreviver.

Em segundo lugar, quando disserem "não", os pais não devem ficar cedendo a chantagens e pressões dos filhos. Caso contrário, a emoção das crianças e jovens se tornará uma gangorra: num momento serão dóceis, em outro, explosivos; numa hora estarão animados, em seguida, mal-humorados. Se forem flutuantes e chantagistas no ambiente social, serão excluídos.

Em terceiro lugar, os pais têm de deixar claro quais são os pontos a serem negociados e quais são os limites inegociáveis. Por exemplo, ir para a cama de madrugada durante a semana e ter de acordar cedo para estudar é inaceitável e, portanto, inegociável. De outro lado, a quantidade de tempo na Internet e o horário de volta para casa podem ser negociados.

Se os pais incorporarem os hábitos dos educadores brilhantes que mencionei, eles poderão, sem medo, contrariar, colocar limites e dizer "não" aos seus filhos. Os resmungos, as birras, as crises deles não serão destrutivas, mas construtivas.

Vivemos tempos difíceis. As regras e os conselhos psicológicos parecem não ter mais eficácia. Pais do mundo todo se sentem perdidos, sem solo para andar, sem ferramentas para penetrar no mundo dos seus filhos. De fato, conquistar o planeta psíquico dos nossos filhos é tão ou mais complexo do que conquistar o planeta físico. *Atuar no aparelho da inteligência é uma arte que poucos aprendem.*

Quero deixar claro que os hábitos dos pais brilhantes revelam que ninguém se diploma na educação de filhos. Os que dizem "Eu sei" ou "Não preciso da ajuda de ninguém" já estão derrotados. Para educar precisamos aprender sempre e conhecer na plenitude a palavra paciência. Quem não tem paciência desiste, quem não consegue aprender não encontra caminhos inteligentes.

Infelizes dos psiquiatras que não conseguem aprender com seus pacientes. Infelizes dos pais que não conseguem aprender com seus filhos e corrigir rotas. Infelizes dos professores que não conseguem aprender com seus alunos e renovar suas ferramentas. *A vida é uma grande escola que pouco ensina para quem não sabe ler.*

Por ser a vida uma grande escola, os pais devem procurar compreender os hábitos dos professores fascinantes que descreverei a seguir. Eles serão úteis na sua jornada. Pais e professores são parceiros na fantástica empreitada da educação.

PARTE 2

Sete hábitos dos bons professores e dos professores fascinantes

*Educar é ser um artesão da personalidade,
um poeta da inteligência,
um semeador de ideias.*

1
Bons professores são eloquentes, professores fascinantes conhecem o funcionamento da mente

Este hábito dos professores fascinantes contribui para desenvolver em seus alunos: capacidade de gerenciar os pensamentos, administrar as emoções, ser líder de si mesmo, trabalhar perdas e frustrações, superar conflitos.

Bons professores têm uma boa cultura acadêmica e transmitem com segurança e eloquência as informações em sala de aula. Os professores fascinantes ultrapassam essa meta. Eles procuram conhecer o funcionamento da mente dos alunos para educar melhor. Para eles, cada aluno não é mais um número na sala de aula, mas um ser humano complexo, com necessidades peculiares.

Os professores fascinantes transformam a informação em conhecimento e o conhecimento em experiência. Sabem que apenas a experiência é registrada de maneira privilegiada nos solos da memória, e somente ela cria avenidas na memória capazes de transformar a personalidade. Por isso, estão sempre trazendo as informações que transmitem para a experiência de vida.

A educação passa por uma crise sem precedentes na História. Os alunos estão alienados, não se concentram, não têm prazer em aprender e são ansiosos. De quem é a culpa? Dos alunos ou dos pais? Nem de uns nem dos outros. As causas são mais profundas. As causas principais são frutos do sistema social que estimulou de maneira assustadora os fenômenos que constroem os pensamentos. Estudaremos esse assunto no tópico a seguir.

O palco da mente dos jovens de hoje é diferente dos jovens do passado. Os fenômenos que estão nos bastidores da mente deles e que produzem pensamentos são os mesmos, mas os atores que estão no palco são distintos. A qualidade e a velocidade dos pensamentos mudaram. Precisamos conhecer alguns papéis da memória e algumas áreas do processo de construção da inteligência para encontrar as ferramentas necessárias e capazes de dar uma reviravolta na educação.

O primeiro hábito de um professor fascinante é entender a mente do aluno e procurar respostas incomuns, diferentes daquelas a que o jovem está acostumado.

A síndrome SPA

A televisão mostra mais de sessenta personagens por hora com as mais diferentes características de personalidade. Policiais irreverentes, bandidos destemidos, pessoas divertidas. Essas imagens são registradas na memória e competem com a imagem dos pais e professores.

Os resultados inconscientes disso são graves. Os educadores perdem a capacidade de influenciar o mundo psíquico dos jovens. Seus gestos e palavras não têm impactos emocionais e, consequentemente, não sofrem um arquivamento privilegiado capaz de produzir milhares de outras emoções e pensamentos que estimulem o desenvolvimento da inteligência. Frequentemente os educadores precisam gritar para obter o mínimo de atenção.

A maior consequência do excesso de estímulos da TV é contribuir para gerar a síndrome do pensamento acelerado, SPA. Nunca deveríamos ter mexido na caixa preta da inteligência, que é a construção de pensamentos, mas, infelizmente, mexemos. A velocidade dos pensamentos não poderia ser aumentada cronicamente. Caso contrário, ocorreriam uma diminuição da concentração e um aumento da ansiedade. É exatamente isso que está acontecendo com os jovens.

A ansiedade da SPA gera uma compulsão por novos estímulos, numa tentativa de aliviá-la. Embora menos intenso, o princípio é o mesmo que ocorre na dependência psicológica das drogas. Os usuários de drogas usam sempre novas doses para tentar aliviar a ansiedade gerada pela dependência. Quanto mais usam, mais dependentes ficam.

Os portadores da SPA adquirem uma dependência por novos estímulos. Eles se agitam na cadeira, têm conversas paralelas, não se concentram, mexem com os colegas. Estes comportamentos são tentativas de aliviar a ansiedade gerada pela SPA.

A educação está falida, a violência e a alienação social aumentaram, porque, sem perceber, cometemos um crime contra a mente das crianças e dos adolescentes. Tenho convicção científica de que a velocidade dos pensamentos dos jovens há um século era bem menor do que a atual, e por isso o modelo de educação do passado, embora não fosse ideal, funcionava.

Precisamos de um novo modelo de educação. No final do livro comentarei dez técnicas para produzirmos uma educação excelente, capaz de eliminar os efeitos negativos da SPA.

Em minhas conferências, frequentemente pergunto aos professores com mais de dez anos em sala de aula se eles percebem que os alunos atuais estão mais agitados que os do passado, e a resposta unânime é afirmativa. Precisamos de professores incomuns, que compreendam o anfiteatro da mente humana. De professores comuns o mundo está cheio.

Pensar é excelente, pensar muito é péssimo. Quem pensa muito rouba energia vital do córtex cerebral e sente uma fadiga excessiva, mesmo sem ter feito exercício físico. Este é um dos sintomas da SPA. Os demais sintomas são sono insuficiente, irritabilidade, sofrimento por antecipação, esquecimento, déficit de concentração, aversão à rotina e, às vezes, sintomas psicossomáticos, como dor de cabeça, dores musculares, taquicardia, gastrite. Por que um dos sintomas é o esquecimento? Porque o cérebro tem mais juízo do que nós e bloqueia a memória para pensarmos menos e gastarmos menos energia.

Muitos cientistas não percebem que a SPA é a principal causa da crise na educação mundial. Ela é coletiva, atinge grande parte da população adulta e infantil. Os adultos mais responsáveis apresentam uma SPA mais forte e, por isso, ficam mais estressados. Por quê? Porque têm um trabalho intelectual mais intenso, pensam mais, são mais preocupados.

A SPA dos alunos faz com que as teorias educacionais e psicológicas do passado quase não funcionem, porque, enquanto os professores falam, os alunos estão agitados, inquietos, sem concentração e, ainda por cima, viajando nos seus pensamentos. *Os professores estão presentes na sala de aula e os alunos estão em outro mundo.*

As causas da SPA

A síndrome SPA gera uma hiperatividade de origem não genética. Desde os primórdios da humanidade sempre existiu a hiperatividade genética, caracterizada por uma ansiedade psicomotora, inquietação e agitação do pensamento de fundo metabólico. Por isso, algumas pessoas sempre foram mais ansiosas, teimosas e hiperpensantes do que outras. Mas hoje há uma hiperatividade funcional não genética – a SPA.

Quais são as causas da SPA? A primeira, como disse, é o excesso de estímulo visual e sonoro produzido pela TV, e que atinge frontalmente o território da emoção. Notem que não estou falando da qualidade do conteúdo da TV, mas do excesso de estímulos, sejam eles bons ou péssimos. A segunda é o excesso de informações. Em terceiro lugar, a paranoia do consumo e da estética, que dificulta a interiorização.

Todas essas causas excitam a construção de pensamentos e geram uma psicoadaptação aos estímulos da rotina diária, ou seja, uma perda do prazer pelas pequenas coisas do dia a dia. Os portadores da SPA estão sempre inquietos, tentando garimpar algum estímulo que os alivie.

Com respeito ao excesso de informação, é fundamental saber que uma criança de sete anos de idade da atualidade tem mais informações na memória do que um ser humano de setenta, há um ou dois séculos. Essa avalanche de informações excita de maneira inadequada os quatro grandes fenômenos que leem a memória e constroem cadeias de pensamentos. Quem tem SPA não consegue gerenciar os pensamentos plenamente, não consegue tranquilizar sua mente.

O maior vilão da qualidade de vida do homem moderno não é seu trabalho, nem a competição, a carga horária excessiva ou as pressões sociais, mas o excesso de pensamentos. A

SPA compromete a saúde psíquica de três formas: ruminando o passado e desenvolvendo sentimento de culpa, produzindo preocupações sobre problemas existenciais e sofrendo por antecipação.

Não basta ser eloquente. Para ser um professor fascinante é preciso conhecer a alma humana para descobrir ferramentas pedagógicas capazes de transformar a sala de casa e a sala de aula num oásis, e não numa fonte de estresse. É uma questão de sobrevivência, pois, caso contrário, alunos e professores não terão qualidade de vida. E isso já está acontecendo. Vejamos como.

Destruíram a qualidade de vida do professor

Uma revelação chocante. Na Espanha, 80% dos professores estão estressados. Na Inglaterra, o governo está tendo dificuldade de formar professores, principalmente de ensino fundamental e médio, porque poucos querem esta profissão. Nos demais países, a situação é igualmente crítica.

De acordo com pesquisas do instituto Academia de Inteligência, no Brasil, 92% dos professores estão com três ou mais sintomas de estresse e 41% com dez ou mais. É um número altíssimo, indicando que quase a metade dos professores não deveria estar em sala de aula, mas internada numa clínica antiestresse. Compare com este outro número: na população de São Paulo, dramaticamente estressada, 22,9% estão com dez ou mais sintomas.

Os números gritam. Eles indicam que os professores estão quase duas vezes mais estressados do que a população de São Paulo, que é uma das maiores e mais estressantes cidades do mundo. Creio que a situação em qualquer nação desenvolvida é a mesma. Os sintomas que mais se destacam são os ligados à síndrome do pensamento acelerado.

Que tipo de batalha estamos travando para que nossos nobres soldados que se encontram no front – os professores – estejam adoecendo coletivamente? Que tipo de educação é esta que estamos construindo e que vem eliminando a boa qualidade de vida de nossos queridos mestres? *Damos valor ao mercado de petróleo, de carros, de computadores, mas não percebemos que o mercado da inteligência está falindo.*

Não apenas os salários e a dignidade dos professores precisam ser resgatados, mas também a sua saúde. Professores e alunos estão coletivamente com a síndrome SPA.

Um pedido aos professores fascinantes: por favor, tenham paciência com seus alunos. *Eles não têm culpa dessa agressividade, alienação e agitação em sala de aula.* Eles são vítimas. Detrás dos piores alunos há um mundo a ser descoberto e explorado.

Há uma esperança no caos. Precisamos construir a escola dos nossos sonhos. Aguarde!

2
Bons professores possuem metodologia, professores fascinantes possuem sensibilidade

Este hábito dos professores fascinantes contribui para desenvolver: autoestima, estabilidade, tranquilidade, capacidade de contemplação do belo, de perdoar, de fazer amigos, de socializar.

B*ons professores falam com a voz, professores fascinantes falam com os olhos.* Bons professores são didáticos, professores fascinantes vão além. Possuem sensibilidade para falar ao coração dos seus alunos.

Seja um professor fascinante. Fale com uma voz que expresse emoção. Mude de tonalidade enquanto fala. Assim, você cativará a emoção, estimulará a concentração e aliviará a SPA dos seus alunos. Eles desacelerarão seus pensamentos e viajarão no mundo das suas ideias. Um fascinante professor de matemática, química ou línguas é alguém capaz de conduzir seus alunos numa viagem sem sair do lugar. Toda vez que dou uma conferência, procuro fazer com que meus ouvintes viajem, reflitam sobre a vida, caminhem dentro de si mesmos, saiam do lugar-comum.

Um professor fascinante é mestre da sensibilidade. *Ele sabe proteger a emoção nos focos de tensão.* O que significa isso? Significa não deixar que a agressividade e as atitudes impensadas dos seus alunos roubem sua tranquilidade. Entende que os fracos excluem, os fortes acolhem, os fracos condenam, os fortes compreendem. Ele procura acolher seus alunos e compreendê-los, mesmo os mais difíceis.

Enxergue o mundo com os olhos de uma águia. Veja por vários ângulos a educação. Entenda que *somos criadores e vítimas do sistema social que valoriza o ter e não o ser, a estética e não o conteúdo, o consumo e não as ideias.* No que depender de nós, devemos dar nossa parcela de contribuição para gerar uma humanidade mais saudável.

Não esqueça que você não é apenas um pilar da escola clássica, mas um pilar da escola da vida. Tenha consciência de que os computadores podem gerar gigantes na ciência, mas crianças na maturidade.

Os educadores, apesar das suas dificuldades, são insubstituíveis, porque a gentileza, a solidariedade, a tolerância, a inclusão, os sentimentos altruístas, enfim, todas as áreas da sensibilidade não podem ser ensinadas por máquinas, e sim por seres humanos.

3

Bons professores educam a inteligência lógica, professores fascinantes educam a emoção

Este hábito dos professores fascinantes contribui para desenvolver: segurança, tolerância, solidariedade, perseverança, proteção contra os estímulos estressantes, inteligência emocional e interpessoal.

Bons professores ensinam seus alunos a explorar o mundo em que estão, do imenso espaço ao pequeno átomo. *Professores fascinantes ensinam os alunos a explorar o mundo que são, o seu próprio ser.* Sua educação segue as notas da emoção.

Os professores fascinantes sabem que trabalhar com a emoção é mais complexo do que trabalhar com os mais intricados cálculos da física e da matemática. *A emoção pode transformar ricos em paupérrimos, intelectuais em crianças, poderosos em frágeis seres.*

Eduque a emoção com inteligência. E o que é educar a emoção? É estimular o aluno a pensar antes de reagir, a não ter medo do medo, a ser líder de si mesmo, autor da sua história, a saber filtrar os estímulos estressantes e a trabalhar não apenas com fatos lógicos e problemas concretos, mas também com as contradições da vida.

Educar a emoção também é se doar sem esperar retorno, ser fiel à sua consciência, extrair prazer dos pequenos estímulos da existência, saber perder, correr riscos para transformar os sonhos em realidade, ter coragem para andar por lugares desconhecidos. Quem teve o privilégio de educar a emoção em sua juventude?

Infelizmente, mergulhamos na sociedade sem qualquer preparo para viver. Somos vacinados desde a infância contra uma série de vírus e bactérias, mas não recebemos nenhuma vacina contra as decepções, frustrações e rejeições. Quantas lágrimas, doenças psíquicas, crises no relacionamento e até suicídios poderiam ser evitados com a educação da emoção?

Sem a educação da emoção podemos gerar pelo menos três resultados. Alguns se tornam insensíveis, têm traços de uma personalidade psicopata. Eles possuem uma emoção insensível, e por isso ofendem e machucam os outros, mas não sentem a dor deles, não pensam nas consequências dos seus comportamentos.

Outros, ao contrário, se tornam hipersensíveis. Vivem intensamente a dor dos outros, se doam sem limites, se preocupam demais com a crítica alheia, não têm proteção emocional. Uma ofensa estraga o dia, o mês e até a vida. *As pessoas hipersensíveis costumam ser excelentes para os outros, mas péssimas para si mesmas.*

Outros, ainda, são alienados, não ferem os outros, mas não pensam no futuro, não têm sonhos, metas, deixam a vida levá-los, vivem um conformismo doentio.

As escolas não estão conseguindo educar a emoção. Elas estão gerando jovens insensíveis, hipersensíveis ou alienados. Precisamos formar jovens que tenham uma emoção rica, protegida e integrada.

4
Bons professores usam a memória como depósito de informações, professores fascinantes usam-na como suporte da arte de pensar

Este hábito dos professores fascinantes contribui para desenvolver: pensar antes de reagir, expor e não impor as ideias, consciência crítica, capacidade de debater, de questionar, de trabalhar em equipe.

Bons professores usam a memória como armazém de informações, professores fascinantes usam a memória como suporte da criatividade. Bons professores cumprem o conteúdo programático das aulas, professores fascinantes também cumprem o conteúdo programático, mas *seu objetivo fundamental é ensinar os alunos a serem pensadores e não repetidores de informações.*

A educação clássica transformou a memória humana num banco de dados. A memória não tem essa função. Como disse, grande parte das informações que recebemos nunca será recordada. Ocupamos um espaço precioso da memória com informações pouco úteis e até inúteis.

Os professores e os psicólogos juram que existe lembrança, mas, como já dissemos, este é um dos grandes pilares falsos em que se apoiam a psicologia e as ciências da educação. Não existe lembrança pura do passado, mas reconstrução do passado com micro ou macrodiferenças.

Quantos pensamentos nós produzimos ontem? Milhares! De quantos conseguimos nos lembrar com a cadeia exata de verbos, substantivos, adjetivos? Talvez de nenhum. No entanto, se procurarmos recordar as pessoas, os ambientes e as circunstâncias com os quais nos relacionamos, reconstruiremos milhares de outros pensamentos, não exatamente os mesmos que pensamos ontem.

Concluímos que o objetivo da memória não é dar suporte para a lembrança, mas para a reconstrução criativa do passado. Só existe lembrança pura das informações destituídas de experiências sociais e emocionais, ou seja, das informações lógicas, como os números. Mesmo assim, o resgate dessas lembranças envolve emoções sutis subjacentes. Por isso, em alguns momentos, temos maior ou menor habilidade para resolver cálculos matemáticos.

A memória clama para que o ser humano seja criativo, mas a educação clássica clama para que ele seja repetitivo. A memória não é um banco de dados nem nossa capacidade de pensar é uma máquina de repetir informações, como as pobres máquinas dos computadores.

A memória dos computadores é escrava de estímulos programados. *A memória humana é um canteiro de informações e experiências para que cada um de nós produza um fantástico mundo de ideias.*

Um membro da tribo africana tem o mesmo potencial intelectual de um cientista de Harvard. Muitos consideram que Einstein foi o maior cérebro do século XX. Mas, como um dos raros cientistas que produziu conhecimento sobre o processo de construção de pensamentos, tenho convicção de que um membro das tribos indígenas do Amazonas tem o mesmo potencial intelectual que Einstein.

Todos possuímos um corpo de fenômenos que, em milésimos de segundos, lê os campos da memória e produz o espetáculo dos pensamentos. Só não produzimos grandes ideias, pensamentos inusitados, criações surpreendentes porque engessamos a arte de pensar.

Durante os dois primeiros anos do ensino médio, eu tinha apenas dois cadernos e quase nada estava escrito neles. Era difícil me adaptar a uma educação que não provocava minha inteligência. Alguns, naquela época, vendo meu aparente desinteresse, achavam que eu não seria nada na vida. Mas, dentro de mim, havia uma explosão de ideias. Pensar era uma aventura que me encantava.

Hoje tenho mais de cinco mil páginas escritas, e a minoria está publicada. Meus livros são estudados por cientistas e lidos por centenas de milhares de pessoas em todo o mundo. No entanto, estou convicto de que não tenho uma inteligência privilegiada. Todos temos uma mente especial. *Aonde chegamos depende do quanto libertamos a arte de pensar.*

Abrindo as janelas da inteligência

As provas escolares que estimulam os alunos a repetir informações, além de pouco úteis, são frequentemente prejudiciais, pois engessam a inteligência. As provas deveriam ser abertas, promover a criatividade, estimular o desenvolvimento do livre pensamento, cultivar o raciocínio esquemático, expandir a capacidade de argumentação dos alunos. Os testes e as perguntas fechadas deveriam ser evitados ou pouco usados como provas escolares.

Nas provas deveria ser valorizado qualquer raciocínio esquemático, qualquer ideia organizada, mesmo que estivessem completamente errados em relação à matéria dada. É possível dar nota máxima para um raciocínio brilhante baseado em dados errados. Isso valoriza pensadores. A exigência de detalhes só deveria ser solicitada aos especialistas na universidade e não no ensino fundamental e médio.

Em meu livro *Revolucione Sua Qualidade de Vida*, falo sobre a memória de uso contínuo ou memória consciente – MUC – e a memória existencial ou inconsciente – ME. A grande maioria das informações, talvez mais de 90%, que registramos na MUC nunca será recordada. Elas vão para a periferia da memória, para a ME, e serão reeditadas (substituídas) ou transferidas para arquivos pouco acessados nos porões do inconsciente.

As informações mais úteis são aquelas transformadas em conhecimento e que, por sua vez, são transformadas em experiências na MUC. Quando tratar da escola dos nossos sonhos, indicarei ferramentas para estimular a arte de pensar.

No passado, o conhecimento dobrava em dois ou três séculos. Atualmente, o conhecimento dobra a cada cinco anos. No entanto, onde estão os pensadores? Estamos assistindo ao fim dos pensadores nas escolas, nas universidades e até nos cursos de pós-graduação. *Multiplicamos o conhecimento, mas não os homens que pensam.*

Os alunos que vão mal nas provas, hoje, poderão se tornar excelentes cientistas, executivos e profissionais no futuro. Basta que os estimulemos. Estimule seus alunos a abrir as janelas da mente, a ter ousadia para pensar, questionar, debater, romper paradigmas.

Este é um excelente hábito. *Professores fascinantes formam pensadores que são autores da sua história.*

5
Bons professores são mestres temporários, professores fascinantes são mestres inesquecíveis

*Este hábito dos professores fascinantes contribui
para desenvolver: sabedoria, sensibilidade,
afetividade, serenidade, amor pela vida, capacidade
de falar ao coração, de influenciar pessoas.*

Um bom professor é lembrado nos tempos de escola. Um professor fascinante é um mestre inesquecível. Um bom professor procura os alunos, um professor fascinante é procurado por eles. Um bom professor é admirado, um professor fascinante é amado. Um bom professor se preocupa com as notas dos seus alunos, um professor fascinante se preocupa em transformá-los em engenheiros de ideias.

Ser um mestre inesquecível é formar seres humanos que farão diferença no mundo. Suas lições de vida marcam para sempre os solos conscientes e inconscientes dos seus alunos. O tempo pode passar e as dificuldades podem surgir, mas as sementes de um professor fascinante jamais serão destruídas.

Tenho investigado a vida de grandes pensadores como Confúcio, Buda, Platão, Freud, Einstein. Todos eles foram mestres inesquecíveis, porque estimularam seu íntimo a velejar para dentro de si mesmos. Na coleção de livros Análise da Inteligência de Cristo (Cury, 2000), tive a oportunidade de investigar os pensamentos de Jesus Cristo, bem como sua capacidade de proteger a emoção, e sua habilidade de trabalhar nos solos da inteligência dos seus discípulos.

Apesar das minhas limitações, fiz uma análise psicológica e não teológica da sua personalidade. Os resultados foram extraordinários. Talvez, pela primeira vez, textos referentes a Jesus Cristo tenham sido adotados em faculdades de psicologia, pedagogia e direito.

Aparentemente, ele morreu como o mais derrotado dos homens, pois o mais forte dos seus discípulos o negou e os demais o abandonaram. Mas ninguém é derrotado quando suas sementes são enterradas. As sementes que ele plantou nos solos da memória dos seus discípulos inspiraram a inteligência, libertaram a emoção, romperam o cárcere do medo, fizeram dos jovens galileus, tão despreparados para a vida, uma casta de finos pensadores.

A conclusão a que cheguei é que Jesus Cristo se tornou o mestre inesquecível não por atos sobrenaturais, mas porque arejou o anfiteatro da mente humana com habilidade ímpar. Nunca alguém tão grande se fez tão pequeno para tornar grandes os pequenos. Independentemente de religião, os que amam a educação devem estudá-lo.

Excelentes escolas têm gerado alunos com problemas. No passado, as escolas da periferia não conseguiam ajudar seus "alunos-problemas". Hoje, boas escolas que usam teorias respeitáveis, como a do construtivismo e das inteligências múltiplas, têm sido incapazes de formar coletivamente jovens sábios e lúcidos.

Seja um mestre fascinante. Inspire a inteligência dos seus alunos, leve-os a enfrentar seus desafios e não apenas a ter cultura informativa. Estimule-os a gerenciar seus pensamentos e a ter um caso de amor com a vida.

Não se cale sobre sua história, transmita suas experiências de vida. *As informações são arquivadas na memória, as experiências são cravadas no coração.*

6

Bons professores corrigem comportamentos, professores fascinantes resolvem conflitos em sala de aula

Este hábito dos professores fascinantes contribui para desenvolver: superação da ansiedade, resolução de crises interpessoais, socialização, proteção emocional, resgate da liderança do eu nos focos de tensão.

Bons professores corrigem os comportamentos agressivos dos alunos. Professores fascinantes resolvem conflitos em sala de aula. Entre corrigir comportamentos e resolver conflitos em sala de aula há uma distância maior do que imagina a nossa nobre educação.

Resolver conflitos em sala de aula é um tema novo em muitos países. Só agora alguns países europeus e os EUA estão despertando para isso. Já faz algum tempo que tenho comentado em congressos que os pais e professores precisam se equipar para resolver conflitos entre seus filhos e alunos.

Em primeiro lugar, é preciso conhecer, como comentei, a síndrome SPA. Em segundo, os professores necessitam proteger sua emoção diante do calor dos conflitos dos alunos, caso contrário um atrito poderá desgastá-los profundamente.

Neste caso, a escola se tornará um deserto e os professores contarão nos dedos os dias que faltam para a aposentadoria.

Em terceiro lugar, diante de qualquer atrito, ofensa ou crise entre os alunos ou dos alunos com o professor, a melhor resposta é não dar resposta alguma. Nos primeiros trinta segundos em que estamos tensos, cometemos nossos piores erros, nossas piores atrocidades. No calor da tensão, seja amigo do silêncio, respire fundo.

Por que usar a ferramenta do silêncio? Porque emoção tensa fecha o território de leitura da memória, obstruindo a construção de cadeias de pensamentos. Deste modo, reagimos por instinto, como os animais, e não com a inteligência.

Em quarto lugar, procure não dar uma lição de moral em quem foi agressivo. Este procedimento é usado desde a idade da pedra, e não é eficaz, não gera um momento educacional, pois a emoção do agressor está tensa, e sua inteligência, obstruída.

O que fazer? Usar a ferramenta que já comentei quando falei sobre os pais. Encante sua classe com gestos inesperados. Surpreenda seus alunos. Assim você irá resolver conflitos em sala de aula. Como? Leve-os a pensar, a mergulhar dentro de si mesmos, a se confrontar consigo mesmos. Não é uma tarefa fácil, mas é possível. Vejamos como.

Um tapa com luva de pelica direto no coração

Certa vez, alguns alunos conversavam no fundo da sala. A professora de línguas pediu silêncio, mas eles continuaram. Ela foi mais enfática, chamou a atenção de um aluno que falava alto. Ele foi agressivo com ela. Gritou: "Você não manda em mim! Eu pago para você trabalhar!" O clima ficou tenso.

Todos esperaram que a professora gritasse com o aluno, ou o expulsasse da classe. Em vez disso, ela ficou em silêncio, relaxou, diminuiu sua tensão e libertou sua imaginação. Em seguida, contou-lhes uma história que aparentemente não tinha nada a ver com o clima de agressividade.

Contou a história das crianças e dos adolescentes judeus que foram presos nos campos de concentração nazista e perderam todos os seus direitos. Não podiam ir às escolas, brincar nas ruas, visitar os amigos, dormir numa cama quentinha e se alimentar com dignidade. O alimento era estragado, e eles dormiam como se fossem objetos amontoados num depósito. O que era pior, não podiam abraçar seus pais. O mundo desabou sobre eles.

Eles choravam e ninguém os consolava. Tinham fome e ninguém os saciava. Gritavam pelos pais, mas ninguém os ouvia. Na frente deles apenas havia cães, guardas e cercas de arame farpado. A professora contou o que foi um dos maiores crimes já cometidos na nossa história. Roubaram os direitos humanos e a vida desses jovens. Mais de um milhão de crianças e adolescentes morreram.

Depois de contar essa história, a professora não precisou falar muito. Olhou para a classe e disse: "Vocês têm escola, amigos, professores que os amam, o carinho dos seus pais, um alimento gostoso na sua mesa, mas será que vocês os valorizam?" Ela resolveu conflitos em sala de aula levando-os a se colocar no lugar dos outros e a pensar na grandeza dos direitos humanos.

Ela não precisou chamar a atenção do aluno que a ofendera. Sabia que não adiantaria corrigir seu comportamento, e queria levá-lo a ser um pensador. Ele ficou em completo silêncio. Voltou para casa e nunca mais foi o mesmo, pois compreendeu que tinha muitas coisas belas que não valorizava.

Pais e professores estão perdidos no mundo das suas salas. Os professores estão confusos dentro da sala de aula. Os pais estão sem direção dentro da sala de casa. Não podemos aceitar que o lugar em que os jovens menos aprendam experiências de vida seja dentro desses dois ambientes.

Aprendam a dar tapas com luva de pelica no coração emocional de quem vocês amam. Precisamos acordar nossas crianças e nossos jovens para a vida. *O afeto e a inteligência curam as feridas da alma, reescrevem as páginas fechadas do inconsciente.*

7
Bons professores educam para uma profissão, professores fascinantes educam para a vida

Este hábito dos professores fascinantes contribui para desenvolver: solidariedade, superação de conflitos psíquicos e sociais, espírito empreendedor, capacidade de perdoar, de filtrar estímulos estressantes, de escolher, de questionar, de estabelecer metas.

Um bom professor educa seus alunos para uma profissão, um professor fascinante os educa para a vida. Professores fascinantes são profissionais revolucionários. Ninguém sabe avaliar o seu poder, nem eles mesmos. Eles mudam paradigmas, transformam o destino de um povo e um sistema social sem armas, tão somente por prepararem seus alunos para a vida através do espetáculo das suas ideias.

Os mestres fascinantes podem ser desprezados e ameaçados, mas sua força é imbatível. São incendiários que inflamam a sociedade com o calor da sua inteligência, compaixão e singeleza. São fascinantes porque são livres, são livres porque pensam, pensam porque amam solenemente a vida.

Seus alunos adquirem um bem extraordinário: consciência crítica. Por isso, não são manipulados, controlados, chantageados. Num mundo de incertezas, eles sabem o que querem.

Os professores fascinantes são promotores de autoestima. Dão uma atenção especial aos alunos desprezados, tímidos e que recebem apelidos pejorativos. Sabem que eles podem ser encarcerados por seus traumas. Por isso, como poetas da vida, estendem a sua mão e mostram-lhes sua capacidade interior. Estimulam-nos a usar a dor como adubo para seu crescimento. Deste modo, eles os preparam para sobreviver nas tormentas sociais.

Formando empreendedores

Os professores fascinantes objetivam que seus alunos sejam líderes de si mesmos. Proclamam de diversas formas em sala de aula aos seus alunos: "Que vocês sejam grandes empreendedores. Se empreenderem, não tenham medo de falhar. Se falharem, não tenham medo de chorar. Se chorarem, repensem a sua vida, mas não desistam. Deem sempre uma nova chance a si mesmos."

Quando as dificuldades abatem seus alunos, quando a economia do país está em crise ou os problemas sociais se avolumam, eles novamente proclamam: "Os perdedores veem os raios. Os vencedores veem a chuva, e com ela a oportunidade de cultivar. Os perdedores paralisam-se diante de suas perdas e frustrações. Os vencedores veem a oportunidade de mudar tudo de novo. Nunca desista dos seus sonhos."

Prepare seus alunos para explorarem o desconhecido, para não terem medo de falhar, mas medo de não tentar. Ensine-os a conquistar experiências originais, através da observação de pequenas mudanças e da correção de grandes rotas. Novos estímulos estabelecem uma relação com a estrutura cognitiva prévia, gerando novas experiências (Piaget, 1996). Novas experiências propiciam um crescimento intelectual.

Leve os jovens a ter flexibilidade no trabalho e na vida, pois só não muda de ideia quem não é capaz de produzi-la. *Leve-os a extrair de cada lágrima uma lição de vida.*

Se não reconstruirmos a educação, as sociedades modernas se tornarão um grande hospital psiquiátrico. As estatísticas estão demonstrando que o normal é ser estressado, e o anormal é ser saudável.

PARTE 3
Os sete pecados capitais dos educadores

Todos erram: a maioria usa os erros para se destruir; a minoria, para se construir. Estes são os sábios.

1
Corrigir publicamente

Corrigir publicamente uma pessoa é o primeiro pecado capital da educação. Um educador jamais deveria expor o defeito de uma pessoa, por pior que ele seja, diante dos outros. A exposição pública produz humilhação e traumas complexos difíceis de serem superados. **Um educador deve valorizar mais a pessoa que erra do que o erro da pessoa.**

Os pais ou os professores só devem intervir publicamente quando um jovem ofendeu ou feriu alguém em público. Mesmo assim, devem agir com prudência para não colocar mais lenha no calor das tensões.

Havia uma adolescente de doze anos, esperta, inteligente, sociável, que estava um pouco obesa. Aparentemente ela não tinha problema com sua obesidade. Era uma boa aluna, participativa e respeitada entre seus colegas.

Certa vez, sua vida sofreu uma grande guinada. Ela foi mal numa prova. Procurou a professora e questionou a sua nota. A professora, que estava irritada por outros motivos, desferiu-lhe um golpe mortal que modificou para sempre a sua vida, chamando-a de "gordinha pouco inteligente" na frente dos colegas.

Corrigir alguém publicamente já é grave, humilhar é dramático. Os colegas debocharam da jovem. Ela sentiu-se diminuída, inferiorizada, e chorou. Viveu uma experiência com alto volume de tensão que foi registrada privilegiadamente no centro da memória, na memória de uso contínuo (MUC).

Se considerarmos a memória como uma grande cidade, o trauma original produzido pela humilhação da professora foi como uma casa de favela edificada num belo bairro. A jovem leu continuamente o arquivo que continha esse trauma e produziu milhares de pensamentos e reações emocionais de conteúdo negativo, que foram registrados novamente, expandindo a estrutura do trauma. Deste modo, uma "casa de favela" na memória pode contagiar um arquivo inteiro.

Portanto, não é o trauma original que se torna o grande vilão da saúde psíquica, como Freud pensava, mas a realimentação dele. Cada gesto hostil das outras pessoas era relacionado pela adolescente com seu trauma. Com o decorrer do tempo, ela produziu milhares de casas de favelas. Onde havia um belo bairro no inconsciente foi se criando um terreno desolado.

Os adolescentes devem se sentir bonitos, mesmo que sejam obesos, portadores de um defeito físico, ou se seu corpo não preenche os padrões de beleza transmitidos pela mídia. *A beleza está nos olhos de quem vê.*

Mas, infelizmente, a mídia massacrou os jovens definindo o que é beleza no inconsciente deles. Cada imagem dos modelos nas capas das revistas, nos comerciais e nos programas de TV é registrada na memória, formando matrizes que discriminam quem está fora do padrão. Este processo aprisiona os jovens, mesmo os mais saudáveis. Quando estão diante do espelho, o que é que eles observam? Suas qualidades ou seus defeitos? Frequentemente, seus defeitos. A mídia aparentemente tão inofensiva discrimina os jovens da mesma maneira como os negros foram e ainda são discriminados.

Gostaria que vocês não se esquecessem de que é através desse processo que uma rejeição vira um monstro, um educador tenso vira um carrasco, um elevador vira um cubículo sem ar, um vexame público paralisa a inteligência e gera o medo de expor as ideias.

A adolescente de nossa história começou cada vez mais a obstruir sua memória pela baixa autoestima e sentimento de incapacidade. Deixou de tirar notas boas. Cristalizou uma mentira: que não era inteligente. Teve várias crises depressivas. Perdeu o encanto pela vida. Com dezoito anos, tentou o suicídio.

Felizmente, não morreu. Procurou tratamento e conseguiu superar o trauma. Essa jovem não queria matar a vida. No fundo, como toda pessoa depressiva, ela tinha fome e sede de viver. O que ela queria era destruir sua dramática dor, desespero e sentimento de inferioridade.

Chamar a atenção ou apontar em público um erro ou defeito de jovens e adultos pode gerar um trauma inesquecível que os controlará durante toda a vida. Ainda que os jovens os decepcionem, não os humilhem. Ainda que eles mereçam uma grande bronca, procurem chamá-los em particular e corrigi-los. Mas, principalmente, estimulem os jovens a refletir. Quem estimula a reflexão é um artesão da sabedoria.

2
Expressar autoridade com agressividade

Certo dia, descontente com a reação agressiva do seu pai, um filho levantou a voz para ele. O pai sentiu-se desafiado e o espancou. Disse-lhe que nunca deveria falar com ele daquele modo. Aos gritos, afirmou que quem mandava naquela casa era ele, que era ele que o sustentava. O pai impôs sua autoridade com violência. Ganhou o temor do filho, mas perdeu para sempre o seu amor.

Muitos pais agridem e criticam um ao outro na frente dos filhos. *Quando estivermos ansiosos e sem condições de conversar, a melhor coisa é sair de cena.* Vá para o quarto e faça outra coisa, até conseguir abrir as janelas da memória e tratar com inteligência os assuntos polêmicos.

Todavia, não há casais perfeitos. Todos cometemos excessos na frente dos filhos, todos ficamos estressados. A pessoa mais calma tem seus momentos de ansiedade e irracionalidade. Portanto, embora desejável, não é possível evitar todos os atritos na frente dos filhos. O importante é o destino que damos aos nossos erros.

O mesmo princípio serve para os professores. Quando dermos um espetáculo agressivo na frente das crianças, devemos pedir desculpas não apenas para o nosso cônjuge, mas também para os filhos, pela manifestação de intolerância a que assistiram. Se temos coragem para errar, devemos ter coragem para refazer nosso erro.

Uma pessoa autoritária nem sempre é bruta e agressiva. Às vezes sua violência está disfarçada numa delicada imutabilidade e teimosia. Ninguém muda sua opinião. Se insistirmos em manter nossa autoridade a qualquer custo, estaremos cometendo um pecado capital na educação dos nossos filhos. Nosso autoritarismo controlará a inteligência deles.

Nossos filhos poderão reproduzir nossas reações no futuro. Aliás, observe que costumamos reproduzir os comportamentos dos nossos pais que mais condenamos em nossa infância. O registro silencioso não trabalhado cria moldes no secreto da nossa personalidade.

Alguns filhos, quando estão irritados, apontam os erros dos seus pais e os provocam. Quantos pais perdem o amor dos seus filhos porque não sabem dialogar com eles quando são desafiados! Têm medo de que o diálogo lhes roube a autoridade. Não conseguem ser questionados. Alguns pais odeiam quando seus filhos comentam sobre suas falhas. Eles parecem intocáveis. Reagem com violência. Impõem uma autoridade que sufoca a lucidez dos filhos. Estão formando pessoas que também reagirão com violência.

Os pais que impõem sua autoridade são aqueles que têm receio das suas próprias fragilidades. Os limites devem ser colocados, mas não impostos. Alguns limites, como comentei, são inegociáveis, porque comprometem a saúde e a segurança dos filhos, mas mesmo nestes casos deve-se fazer uma mesa-redonda com os filhos e dialogar sobre os motivos desses limites.

Nesses vinte anos atendendo inúmeros pacientes, descobri que certos pais eram superamados pelos seus filhos. Eles não os espancaram, não eram autoritários, não deram bens materiais a eles e nem tinham privilégios sociais. Qual foi o seu segredo? Eles se deram aos filhos, educaram a emoção dos filhos, cruzaram seu mundo com o mundo deles. Viveram naturalmente, sem mesmo conhecer os princípios que comentei sobre os pais brilhantes.

O diálogo é uma ferramenta educacional insubstituível. Deve haver autoridade na relação pai-filho e professor-aluno, mas a verdadeira autoridade é conquistada com inteligência e amor. Pais que beijam, elogiam e estimulam seus filhos desde pequenos a pensar não correm o risco de perdê-los e de perder o respeito deles.

Não devemos ter medo de perder nossa autoridade, devemos ter medo de perder nossos filhos.

3
Ser excessivamente crítico: obstruir a infância da criança

Havia um pai preocupadíssimo com o futuro do seu filho. Queria que ele fosse ético, sério e responsável. A criança não podia cometer erros, nem excessos. Não podia brincar, se sujar e fazer peripécias como toda criança. Tinha muitos brinquedos, mas eles ficavam guardados, porque o pai, com o aval da mãe, não admitia bagunça.

Cada falha, nota ruim ou atitude insensata do filho eram criticadas imediatamente pelo pai. Não era apenas uma crítica, mas uma sequência de críticas e, às vezes, na frente dos amigos do filho. Sua crítica era obsessiva e insuportável. Não bastasse isso, querendo pressionar o filho para que ele se corrigisse, o pai comparava seu comportamento com o dos outros jovens. O menino se sentia o mais desprezado dos seres. Pensou em até desistir da vida, por achar que não era amado por seus pais.

O resultado? O filho cresceu e se tornou um bom homem. Errava pouco, era sério, ético, mas infeliz, tímido e frágil. Entre ele e seus pais havia um abismo. Por quê? Porque não havia a mágica da alegria e da espontaneidade entre eles. Era uma família exemplar, mas triste e sem sabor. O filho não apenas se tornou tímido, mas frustrado. Tinha pavor da crítica dos outros. Tinha medo de errar, por isso enterrava seus sonhos, não queria correr riscos.

Desejando acertar, o pai cometeu alguns pecados capitais da

educação. Impôs autoridade, humilhou seu filho em público, criticou-o excessivamente e obstruiu sua infância. Este pai estava preparado para consertar computadores, e não para educar um ser humano. Cada um desses pecados capitais é universal, pois são um problema tanto numa sociedade moderna quanto numa tribo primitiva.

Não critique excessivamente. *Não compare seu filho com seus colegas. Cada jovem é um ser único no teatro da vida.* A comparação só é educativa quando é estimulante e não depreciativa. Dê aos seus filhos liberdade para ter as suas próprias experiências, ainda que isso inclua certos riscos, fracassos, atitudes tolas e sofrimentos. Caso contrário, eles não encontrarão os seus caminhos.

A pior maneira de preparar os jovens para a vida é colocá-los numa estufa e impedi-los de errar e sofrer. Estufas são boas paras as plantas, mas para a inteligência humana são sufocantes.

O Mestre dos mestres tem lições importantíssimas para nos dar nessa área. Suas atitudes educacionais encantam os mais lúcidos cientistas. Ele disse certa vez que Pedro o negaria. Pedro discordou veementemente. Jesus poderia criticá-lo, apontar seus defeitos, acusar sua fragilidade. Mas qual foi sua atitude? Nenhuma.

Ele não fez nada para mudar as ideias do amigo. Deixou o jovem apóstolo Pedro ter suas experiências. O resultado? Pedro errou drasticamente, derramou lágrimas incontidas, mas aprendeu lições inesquecíveis. Se não tivesse errado e reconhecido sua fragilidade, talvez jamais amadurecesse e se tornasse quem foi. Mas, como falhou, aprendeu a tolerar, a perdoar, a incluir.

Estimados educadores, temos de ter em mente que os fracos condenam, os fortes compreendem, os fracos julgam, os fortes perdoam. Mas *não é possível ser forte sem perceber nossas limitações.*

4
Punir quando estiver irado e colocar limites sem dar explicações

Certa vez uma menina de oito anos estava passeando num shopping próximo da sua escola com algumas amigas. Ao ver um dinheiro em cima de um balcão, pegou-o. A balconista viu e chamou-a de ladra. Pegando-a pelo braço, levou-a em prantos até os pais.

Os pais ficaram desesperados. Algumas pessoas mais próximas esperavam que eles batessem e punissem a filha. Em vez disso, resolveram me procurar para saber como agir. Tinham receio de que a menina desenvolvesse cleptomania e se apropriasse de objetos que não lhe pertenciam.

Orientei os pais a não fazerem um drama com o caso. As crianças sempre cometem erros, e o importante é o que fazer com eles. Minha preocupação era levá-los a conquistar sua doce menina e não a puni-la. Orientei para que a chamassem em separado e explicassem as consequências do seu ato. Em seguida, pedi-lhes que a abraçassem, pois afinal ela já estava muito chocada com o ocorrido.

Além disso, disse que, se eles quisessem transformar o erro num grande momento educacional, deveriam ter reações inesquecíveis. Os pais pensaram e tiveram um gesto inusitado. Como o valor era pequeno, deram à filha o dobro do dinheiro furtado e demonstraram eloquentemente que ela era mais importante para eles do que todo o dinheiro do mundo. Explicaram-lhe que a honestidade é a dignidade dos fortes.

Essa atitude deixou-a contemplativa. Em vez de serem arquivados na memória o fato de ser ladra e uma punição agressiva dos pais, foram registrados na memória acolhimento, compreensão e amor. O drama se transformou num romance. A jovem nunca mais se esqueceu de que, num momento tão difícil, seus pais a ensinaram e amaram. Quando fez quinze anos, ela abraçou seus pais, dizendo que nunca se esquecera daquele momento poético. Todos deram risadas. Não ficou cicatriz.

Um outro caso não teve o mesmo destino. Um pai foi chamado à delegacia porque o segurança vira seu filho furtando um CD numa loja de departamento. O pai sentiu-se humilhado. Não percebeu a angústia do garoto e o fato de a falha ser uma excelente oportunidade para revelar sua maturidade e sabedoria. Em vez disso, esbofeteou o filho na frente dos guardas.

Chegando em casa, o jovem se trancou no quarto. O pai tentou arrombar a porta, porque percebeu que o filho estava tentando se matar. Num ato impensado, desistiu da vida, achando-se o último dos seres humanos. O pai daria tudo o que tinha para voltar atrás, jamais pensou que perderia seu filho querido.

Por favor, jamais puna quando estiver irado. Como disse, não somos gigantes, e nos trinta primeiros segundos da raiva somos capazes de ferir as pessoas que mais amamos. Não se deixe escravizar por sua ira. Quando sentir que não pode controlá-la, saia de cena, pois, caso contrário, você reagirá sem pensar.

A punição física deve ser evitada. Se algumas palmadas acontecerem, elas devem ser simbólicas e acompanhadas de uma explicação. Não é a dor das palmadas que irá estimular a inteligência das crianças e dos jovens. A melhor forma de ajudá-los é levá-los a repensar suas atitudes, penetrar dentro de si mesmos e aprender a se colocar no lugar dos outros.

Praticando essa educação você estará desenvolvendo as seguintes características na personalidade dos jovens: liderança, tolerância, ponderação, segurança nos momentos turbulentos.

Se um jovem o magoou, fale dos seus sentimentos com ele. Se necessário, chore com ele. Se seu filho falhou, discuta as causas da sua falha, dê crédito a ele. A maturidade de uma pessoa é revelada pela forma inteligente com que ela corrige alguém. Podemos ser heróis ou carrascos para os jovens.

Jamais coloque limites sem dar explicações. Este é um dos pecados capitais mais comuns que os educadores cometem, sejam eles pais ou professores. Nos momentos de ira, a emoção tensa bloqueia os campos da memória. Perdemos a racionalidade. Pare! Espere a temperatura da sua emoção baixar. **Para educar, use primeiro o silêncio e depois as ideias.**

A melhor punição é aquela que se negocia. Pergunte aos jovens o que eles merecem pelos seus erros. Você se surpreenderá! Eles refletirão sobre suas atitudes e, talvez, darão uma punição mais severa para si mesmos do que você daria. Confie na inteligência das crianças e dos adolescentes.

Punir com castigos, privações e limites só educa se não for em excesso e se estimular a arte de pensar. Caso contrário, será inútil. A punição só é útil quando é inteligente. A dor pela dor é inumana. Mude seus paradigmas educacionais. **Elogie o jovem antes de corrigi-lo ou criticá-lo.** Diga o quanto ele é importante, antes de apontar-lhe o defeito. A consequência? Ele acolherá melhor suas observações e o amará para sempre.

5
Ser impaciente e desistir de educar

Havia um aluno muito agressivo e inquieto. Ele perturbava a classe e arrumava frequentes confusões. Era insolente, desacatava a todos. Repetia os mesmos erros com frequência. Parecia incorrigível. Os professores não o suportavam. Cogitaram expulsá-lo.

Antes da expulsão, entrou em cena um professor que resolveu investir no aluno. Todos acharam que era perda de tempo. Mesmo não tendo apoio dos colegas, ele começou a conversar com o jovem nos intervalos. No começo havia um monólogo, só o professor falava. Aos poucos, ele começou a envolver o aluno, a brincar e a levá-lo para tomar sorvete. Professor e aluno construíram uma ponte entre seus mundos. Você já construiu alguma vez uma ponte como esta com as pessoas difíceis?

O professor descobriu que o pai do rapaz era alcoólatra e espancava tanto ele como a mãe. Compreendeu que o jovem, aparentemente insensível, já tinha chorado muito, e agora suas lágrimas estavam secas. Entendeu que sua agressividade era uma reação desesperada de quem estava pedindo ajuda. Só que ninguém decifrava sua linguagem. Seus gritos eram surdos. Era muito mais fácil julgá-lo.

A dor da mãe e a violência do pai produziram zonas de conflitos na memória do rapaz. Sua agressividade era um eco da agressividade que recebia. Ele não era réu, era vítima. Seu mundo emocional não tinha cores. Não lhe deram o direito de brincar, sorrir e ver a vida com confiança. Agora, estava perdendo o direito de estudar, de ter a única chance de ser um grande homem. Estava para ser expulso.

Ao tomar conhecimento da situação, o professor começou a conquistá-lo. O jovem sentiu-se querido, apoiado e valorizado. O professor começou a educar-lhe a emoção. Ele percebeu, logo nos primeiros dias, que *por trás de cada aluno arredio, de cada jovem agressivo, há uma criança que precisa de afeto.*

Não demorou muitas semanas para todos estarem espantados com a sua mudança. O rapaz revoltado começou a respeitar. O garoto agressivo começou a ser afetivo. Ele cresceu e se tornou um adulto extraordinário. E tudo isso porque alguém não desistiu dele.

Todos querem educar jovens dóceis, mas são os que nos frustram que testam nossa qualidade de educadores. São seus filhos complicados que testam a grandeza do seu amor. Seus alunos insuportáveis é que testam seu humanismo.

Pais brilhantes e professores fascinantes não desistem dos jovens, ainda que eles os decepcionem e não lhes deem retorno imediato. **Paciência é o seu segredo, a educação do afeto é sua meta.**

Gostaria que vocês acreditassem que os jovens que mais os decepcionam hoje poderão ser os que mais lhes darão alegria no futuro. Basta investir neles.

6
Não cumprir com a palavra

Havia uma mãe que não sabia dizer "não" a um filho. Como não suportava as reclamações, birras e tumultos do menino, queria atender a todas as suas necessidades e reivindicações. Mas nem sempre conseguia, e, para evitar transtornos, ela prometia o que não podia cumprir. Tinha medo de frustrar o filho.

Essa mãe não sabia que a frustração é importante para o processo de formação da personalidade. ***Quem não aprende a lidar com perdas e frustrações nunca irá amadurecer.*** A mãe evitava transtornos momentâneos com o filho, mas não sabia que estava preparando uma armadilha emocional para ele. Qual foi o resultado?

Esse filho perdeu o respeito pela mãe. Ele passou a manipulá-la, explorá-la e discutir intensamente com ela. A história é triste, pois o filho só valorizava a mãe pelo que ela tinha e não pelo que ela era.

Na sua fase adulta, esse menino teve graves conflitos. Por ter passado a vida vendo a mãe dissimulando e não cumprindo a sua palavra, ele projetou no ambiente social uma desconfiança fatal. Desenvolveu uma emoção insegura e paranoica, achava que todo mundo queria enganá-lo e puxar o seu tapete. Tinha ideias de perseguição, não conseguia fazer amizades estáveis, nem parar nos empregos.

As relações sociais são um contrato assinado no palco da

vida. Não o quebre. Não dissimule suas reações. Seja honesto com os jovens. Não cometa esta falha capital. Cumpra o que prometer. Se não puder, diga "não" sem medo, mesmo que seu filho esperneie. E se você errar nessa área, volte atrás e peça desculpas. As falhas capitais na educação podem ser solucionadas quando corrigidas rapidamente.

A confiança é um edifício difícil de ser construído, fácil de ser demolido e muito difícil de ser reconstruído.

7
Destruir a esperança e os sonhos

O maior pecado capital que os educadores podem cometer é destruir a esperança e os sonhos dos jovens. Sem esperança não há estrada, sem sonhos não há motivação para caminhar. O mundo pode desabar sobre uma pessoa, ela pode ter perdido tudo na vida, mas, se tem esperança e sonhos, ela tem brilho nos olhos e alegria na alma.

Havia um certo pai muito ansioso. Ele tinha elevada cultura acadêmica. Na sua universidade todos o respeitavam. Mostrava serenidade, eloquência e perspicácia em decisões que não envolviam emoção. No entanto, quando contrariado, bloqueava sua memória e reagia agressivamente. Isso acontecia principalmente quando chegava em casa. No seu departamento era sóbrio, mas em casa era um homem insuportável.

Não tinha paciência com seus filhos. Não tolerava o mínimo desapontamento. Quando ficou sabendo que um deles começara a usar drogas, suas reações, que já eram ruins, ficaram péssimas. Em vez de abraçá-lo, ajudá-lo e encorajá-lo, passou a destruir a esperança do filho. Dizia "Você não vai virar nada na vida", "Você se tornará um marginal".

O comportamento do pai deprimia ainda mais o filho e o levava mais fundo para o calabouço das drogas. Infelizmente o pai não parava por aí. Além de destruir a esperança do rapaz, obstruía-lhe os sonhos, bloqueava sua capacidade de encontrar dias felizes. Dizia: "Você não tem solução", "Você só me dá desgosto".

Algumas pessoas íntimas desse pai achavam que ele tinha dupla personalidade. Mas do ponto de vista científico não existe dupla personalidade. O que existem são dois campos distintos de leitura da memória lidos em ambientes distintos, resultando na produção de pensamentos e reações completamente distintos.

Muitas pessoas são um cordeiro com os de fora e um leão com os membros da família. Por que esse paradoxo? Porque, com os de fora, elas se freiam e não abrem certas favelas da memória, ou seja, os arquivos que contêm zonas de conflitos. Com os mais íntimos, essas pessoas perdem o freio do consciente e abrem as favelas do inconsciente. Nesse momento vêm à tona a raiva, a insensatez, a crítica obsessiva.

Esse mecanismo está presente em maior ou menor grau em todas as pessoas, mesmo nas mais sensatas. Todos temos tendência a ferir as pessoas que mais amamos. Mas não podemos concordar com isso. Caso contrário, corremos o risco de destruir os sonhos e a esperança das pessoas que mais nos são caras.

Os jovens que perdem a esperança têm enormes dificuldades para superar seus conflitos. Os que perdem seus sonhos serão opacos, não brilharão, gravitarão sempre em torno de suas misérias emocionais e suas derrotas. Crer no mais belo amanhecer depois da mais turbulenta noite é fundamental para ter saúde psíquica. *Não importa o tamanho dos nossos obstáculos, mas o tamanho da motivação que temos para superá-los.*

Um dos maiores problemas na psiquiatria não é a gravidade de uma doença, seja ela uma depressão, fobia, ansiedade ou fármaco-dependência, mas a passividade do eu. Um eu passivo, sem esperança, sem sonhos, deprimido, conformado com suas mazelas, poderá carregar os seus problemas até o túmulo. Um eu ativo, disposto, ousado pode aprender a gerenciar os pensamentos, reeditar o filme do inconsciente e fazer coisas que ultrapassam nossa imaginação.

Os psiquiatras, os médicos clínicos, os professores e os pais são vendedores de esperança, mercadores de sonhos. Uma pessoa só comete suicídio quando seus sonhos se evaporam, sua esperança se dissipa. *Sem sonhos não há fôlego emocional. Sem esperança não há coragem para viver.*

PARTE 4

Os cinco papéis da memória humana

Se o tempo envelhecer o seu corpo mas não envelhecer a sua emoção, você será sempre feliz.

Memória: caixa de segredos da personalidade

A memória é o terreno onde é cultivada a educação. Mas será que a ciência desvendou os principais papéis da memória? Pouco! Muitas áreas permaneceram desconhecidas. Milhões de professores no mundo estão usando a memória inadequadamente. Por exemplo, existe lembrança? Muitos professores e psicólogos juram que sim. Mas não há lembrança pura. O registro da memória depende da vontade humana? Muitos cientistas pensam que sim. Mas estão errados. O registro é automático e involuntário. A memória humana pode ser deletada como a dos computadores? Milhões de usuários dessas máquinas creem que sim. Mas é impossível deletá-la.

A memória é a caixa de segredos da personalidade. Tudo o que somos, o mundo dos pensamentos e o universo de nossas emoções são produzidos a partir dela. Nossos erros históricos relativos à memória parecem coisa de ficção. Há milênios atribuímos à memória funções que ela não tem.

Precisamos compreender cinco papéis fundamentais do magnífico território da memória para podermos encontrar ferramentas para reconstruir a educação, revolucionar seus conceitos. Esses papéis estão na construção do saber e do aprender.

Farei uma abordagem sintética. Quem quiser se aprofundar nesses assuntos, sugiro consultar meu livro *Inteligência Multifocal* (Cury, 1998).

1
O registro na memória é involuntário

Certa vez, um homem teve um atrito com um colega de trabalho. Achou que foi tratado com a maior injustiça. Disse ao colega que o riscaria da sua vida. Fez um esforço enorme para se livrar dele. Mas quanto mais tentava esquecê-lo, mais pensava nele, mais reconstruía o sentimento de injustiça. Por que ele não conseguiu cumprir sua promessa? Porque o registro é automático, não depende da vontade humana.

A rejeição de uma ideia negativa poderá nos fazer escravos dela. Rejeite uma pessoa, e ela dormirá com você, estragando seu sono. Perdoá-la fica emocionalmente mais barato. Como vimos, nos computadores o registro depende de um comando do usuário. No ser humano, o registro é involuntário, realizado, como já vimos, pelo fenômeno RAM (registro automático da memória).

Cada ideia, pensamento, reação ansiosa, momento de solidão, período de insegurança são registrados em sua memória e farão parte da colcha de retalhos da sua história existencial, do filme da sua vida.

Algumas implicações desse papel da memória:

– Cuidar do que pensamos no palco da nossa mente é cuidar da qualidade de vida.

– Cuidar do que sentimos no presente é cuidar do futuro emocional, do quanto seremos felizes, tranquilos e estáveis.

– A personalidade não é estática. Sua transformação depende da qualidade de arquivamento das experiências ao longo da vida. É possível adoecer em qualquer época da vida, mesmo tendo uma infância feliz. Uma criança alegre pode se tornar um adulto triste, e uma criança triste e traumatizada pode se tornar um adulto alegre e saudável.

– A qualidade das informações e experiências registradas poderá transformar a memória num solo fértil ou num deserto árido, sem criatividade.

2
A emoção determina a qualidade do registro

Um psicólogo clínico pediu a um paciente que contasse detalhes do seu passado. O paciente se esforçou, mas só conseguiu falar das experiências que o marcaram. Vivera milhões de experiências, mas só conseguiu falar de algumas dezenas.

O psicoterapeuta achou que ele estava bloqueado ou dissimulando. Na realidade, o paciente estava correto. Nós só conseguimos dar detalhes das experiências que envolvem perdas, alegrias, elogios, medos, frustrações. Por quê? Porque a emoção determina a qualidade do registro. Quanto maior o volume emocional envolvido em uma experiência, mais o registro será privilegiado e mais chance terá de ser resgatado.

Onde ele é registrado? Na MUC, que é a memória de uso contínuo ou memória consciente. As experiências tensas são registradas no centro consciente, e a partir daí serão lidas continuamente. Com o passar do tempo, elas vão sendo deslocadas para a periferia inconsciente da memória, chamada de ME, memória existencial.

Em alguns casos, o volume de ansiedade ou sofrimento pode ser tão grande que provoca um bloqueio da memória. Este bloqueio é uma defesa inconsciente que evita o resgate e a reprodução da dor emocional. É o caso das experiências que envolvem acidentes ou traumas de guerras. Algumas crianças sofreram tanto na infância, que não conseguem recordar esse período de sua vida.

Normalmente as experiências com alta carga emocional ficam disponíveis para serem lidas e gerarem milhares de novos pensamentos e emoções. Uma ofensa não trabalhada pode estragar o dia ou a semana. Uma rejeição pode encarcerar uma vida. Uma criança que fica presa num quarto escuro pode desenvolver claustrofobia. Um vexame em público pode gerar fobia social.

Algumas implicações da relação da emoção que interferem no registro da memória:

- Ensinar a matéria estimulando a emoção dos alunos desacelera o pensamento, melhora a concentração e produz um registro privilegiado.

- Os professores e os pais que não provocam a emoção dos jovens não educam, apenas informam.

- Dar conselhos e orientações sem emoção não gera "momentos educacionais" no mercado da memória.

- Pequenos gestos que geram intensa emoção podem influenciar mais a formação da personalidade das crianças do que os gritos e pressões.

- As brincadeiras discriminatórias e os apelidos pejorativos feitos em sala de aula podem gerar experiências angustiantes capazes de produzir graves conflitos.

- Proteger a emoção é fundamental para se ter qualidade de vida.

3
A *memória não pode ser deletada*

Nos computadores, a tarefa mais simples é deletar ou apagar as informações. No homem, isso é impossível, a não ser quando há lesões cerebrais. Você pode tentar com todas as suas forças apagar seus traumas, pode tentar com toda a sua habilidade destruir as pessoas que o decepcionaram, bem como os momentos mais difíceis de sua vida, mas não terá êxito.

A única possibilidade de resolver nossos conflitos, como vimos, é reeditar os arquivos da memória, através do registro de novas experiências sobre as experiências negativas, nos arquivos onde elas estão armazenadas. Por exemplo, a segurança, a tranquilidade e o prazer devem ser arquivados nas áreas da memória que contenham experiências de insegurança, ansiedade, humor triste.

Para reeditar o filme do inconsciente existem muitas técnicas, sejam técnicas cognitivas que atuam nos sintomas, sejam técnicas analíticas que atuam nas causas.

O ideal é unir as duas. Uma excelente maneira de uni-las é gerenciar os pensamentos e as emoções. Deste modo, deixaremos de ser marionetes dos nossos conflitos e passaremos a ser diretores do teatro de nossa mente.

Algumas implicações desse papel da memória:

– Tudo o que pensamos ou sentimos será registrado e fará parte do tecido da nossa história, quer queiramos ou não.

– Diariamente podemos plantar flores ou acumular lixo no solo da memória.

– Como não é possível deletar o passado, a grande possibilidade de incorporar novas características de personalidade e superar traumas e transtornos emocionais é reeditar o filme do inconsciente.

– Reeditar o filme do inconsciente ou reescrever a memória é construir novas experiências que serão arquivadas no lugar das antigas.

– A educação que varreu os séculos não compreendeu que se reeditarmos o filme do inconsciente de maneira inteligente seremos autores da nossa história. Caso contrário, seremos vítimas das nossas mazelas.

4
O grau de abertura das janelas da memória depende da emoção

A emoção não apenas determina se um registro será frágil ou privilegiado, mas determina o grau de abertura dos arquivos num determinado momento.

O acesso à memória dos computadores é livre. Na inteligência humana este acesso tem que passar pela barreira da emoção. Se uma pessoa está tranquila ou ansiosa, o grau de abertura da sua memória e, consequentemente, sua capacidade de pensar estarão afetados por essas emoções.

Um executivo pode preparar bem uma palestra para os diretores da sua empresa, mas no momento da apresentação pode truncar sua exposição por causa da ansiedade. Atendi muitas pessoas cujas mãos ficam secas quando elas estão sozinhas, mas, ao cumprimentar os outros, ficam frias e úmidas. O excesso de tensão inibe intelectualmente essas pessoas quando têm que falar em público.

A memória humana não está disponível quando queremos. Quem determina a abertura dos arquivos da memória é a energia emocional que vivemos a cada momento. O medo, a ansiedade e o estresse travam os arquivos e bloqueiam os pensamentos.

Algumas implicações derivadas da relação da emoção com a abertura da memória:

– A tranquilidade abre as janelas da memória e leva as pessoas a serem mais eficientes num concurso ou numa reunião de trabalho.

– A ansiedade pode comprometer o desempenho intelectual. Alunos bem-preparados podem ir pessimamente numa prova se estiverem nervosos.

– Uma pessoa tensa ou ansiosa está apta a reagir instintivamente e não a aprender.

– Para ajudar ou corrigir uma pessoa tensa, devemos primeiro conquistar sua emoção para depois conquistar sua razão.

5
Não existe lembrança pura

Há milênios, construímos escolas, acreditando que existe lembrança. A máxima da educação mundial é "ensinar para lembrar e lembrar para aplicar". Todavia, depois de muitos anos de pesquisa sobre os papéis da memória e o funcionamento da mente, estou convicto de que não existe lembrança pura do passado, mas reconstrução com micro ou macrodiferenças.

Já dei uma prova disso. Se você procurar tentar lembrar-se dos milhares de pensamentos que produziu na semana passada, é provável que não resgate nenhum com a cadeia exata de verbos, pronomes e substantivos. Mas, se resgatar as pessoas e os ambientes com os quais se relacionou, reconstruirá milhares de novos pensamentos, mas não exatamente o que pensou.

Do mesmo modo, se tentar recordar o dia mais triste ou mais alegre da sua vida, não vai resgatar os mesmos pensamentos e reações emocionais daquele momento. Você poderá reconstruir pensamentos e emoções próximos, mas não exatamente os mesmos que sentiu. O que isso demonstra? Que a memória é especialista em nos fazer criadores de novas ideias.

O passado é um grande alicerce para edificarmos novas experiências, e não para vivermos em função dele. Toda vez que vivemos em função do passado, obstruímos a inteligência e adoecemos, como é o caso das perdas e dos ataques de pânico não superados. Felizmente nada é estático na psique, tudo pode ser superado e reconstruído.

Quando você recorda uma experiência que teve com um amigo de infância, uma brincadeira na escola ou um trauma emocional, essa recordação nunca é uma lembrança pura que contém todos os pensamentos e reações emocionais que você vivenciou na época. Ela sempre será uma reconstrução mais próxima ou distante da experiência original.

A reconstrução do passado sofre a influência de "cores e sabores" do presente, ou seja, de algumas variáveis, tais como o estado emocional e o ambiente social em que estamos. Se estivermos numa festa e recordarmos uma experiência em que fomos rejeitados, talvez sintamos apenas uma leve dor ou até acharemos graça no fato. O ambiente social se tornou uma variável que desfigurou a reconstrução.

Sua memória não é uma máquina de repetição de informações, como os pobres computadores. Ela é um centro de criação. Liberte-se! Seja criativo!

Algumas implicações e consequências do fato de não existir lembrança pura:

– As provas escolares fechadas não medem a arte de pensar. Às vezes, elas anulam o raciocínio de alunos brilhantes.

– A quantidade exagerada de informações dadas na escola é estressante.

– A maioria das informações se perde nos labirintos da memória e nunca mais será recordada.

– O modelo escolar que privilegia a memória como depósito de conhecimento não forma pensadores, mas repetidores.

– O objetivo fundamental da memória é dar suporte para um raciocínio criativo, esquemático, organizacional, e não para lembranças exatas.

PARTE 5
A escola dos nossos sonhos

Quanto melhor for a qualidade da educação, menos importante será o papel da psiquiatria no terceiro milênio.

O projeto escola da vida

Os papéis da memória expostos aqui sinteticamente, bem como os hábitos dos educadores brilhantes e fascinantes, produzirão dez ferramentas ou técnicas psicopedagógicas que podem ser aplicadas pelos pais e principalmente pelos professores.

Muitos educadores no mundo todo dizem que não há nada de novo na educação. Creio que aqui será apresentado algo novo e impactante. Essas técnicas contribuem para mudarmos para sempre a educação. Elas constituem o projeto escola da vida e podem gerar a educação dos nossos sonhos. Podem promover o sonho do construtivismo de Piaget, da arte de pensar de Vigotsky, das inteligências múltiplas de Gardner, da inteligência emocional de Goleman.

As técnicas não envolverão mudanças no ambiente físico e no material didático adotado, mas no ambiente social e psíquico dos alunos e dos professores. A aplicação dessas técnicas na escola depende do material humano: do treinamento dos professores e da mudança da cultura educacional.

Elas objetivam a educação da emoção, a educação da autoestima, o desenvolvimento da solidariedade, da tolerância, da segurança, do raciocínio esquemático, da capacidade de gerenciar os pensamentos nos focos de tensão, da habilidade de trabalhar perdas e frustrações. Enfim, formar pensadores.

1
Música ambiente em sala de aula

Objetivos desta técnica: desacelerar o pensamento, aliviar a ansiedade, melhorar a concentração, desenvolver o prazer de aprender, educar a emoção.

J.C. nasceu prematuro. Como toda criança prematura, não teve tempo para se encaixar no colo uterino e ficar um mês quietinho se preparando para as turbulências da vida. Nasceu de sete meses, quando ainda fazia malabarismos dentro do útero da mãe. Nasceu com toda energia.

Os estímulos do meio ambiente o perturbavam. Desenvolveu uma ansiedade intensa e se tornou uma criança hiperativa. Tenho observado que muitos prematuros se tornam hiperativos. A hiperatividade deles não é genética, mas decorre da falta de psicoadaptação emocional, tão importante no final da gestação. A psicoadaptação se dá quando o bebê mal cabe dentro do útero, e por isso tem de desacelerar seus movimentos e aprender a relaxar.

Quando criança, J.C. não conseguia se aquietar na carteira. Era agitado, tenso, repetia os erros, tumultuava a classe. Nada o tranquilizava, nem as broncas dos adultos. Ele não era assim porque queria. Tinha uma necessidade vital de perturbar o ambiente para aliviar a sua ansiedade. Concentração? Era um artigo raro. Só se concentrava naquilo que lhe interessava muito. Mas, como era um garoto esperto, o pouco que se concentrava na aula era suficiente para fazê-lo tirar boas notas.

Com o passar do tempo, ele aprendeu a administrar a sua ansiedade e a ter projetos de vida estáveis. Ele contou com a ajuda de professores que fizeram algumas técnicas que comentarei a seguir. Tornou-se um profissional competente. Como todo hiperativo, tem um pensamento acelerado. Mas sabe o que o ajudou a ser estável: foi a música clássica. Desde a sua infância sua mãe o levou a apreciá-la.

A música clássica desacelerava seus pensamentos e estabilizava a sua emoção. Exemplos como o de J.C. me ajudaram a compreender o valor da música para modular o ritmo do pensamento. Eis a primeira técnica psicopedagógica: música ambiente durante a exposição das aulas.

Os objetivos da música no funcionamento da mente

Se a emoção determina a qualidade do registro, quando não há emoção a transmissão das informações gera dispersão nos alunos, em vez de prazer e concentração. Se houver música ambiente dentro da sala de aula, de preferência música suave, o conhecimento seco e lógico transmitido pelos professores de matemática, física, química ou línguas ganha uma dimensão emocional. O fenômeno RAM o registrará de maneira privilegiada. Sem a emoção, o conhecimento não possui paladar.

A música ambiente tem três grandes metas. Primeiro, produzir a educação musical e emocional. Segundo, gerar o prazer de aprender durante as aulas de matemática, física, história. Platão sonhava com o deleite de aprender (Platão, 1985). Terceiro, aliviar a síndrome do pensamento acelerado (SPA), pois aquieta o pensamento, melhora a concentração e a assimilação de informações. A música ambiente deveria ser usada desde a mais tenra infância na sala de casa e na sala de aula.

Os efeitos da música ambiente em sala de aula são espetaculares. Relaxam os mestres e animam os alunos. Os jovens amam músicas agitadas porque seus pensamentos e emoções são agitados. Mas depois de ouvir, durante seis meses, músicas tranquilas, a emoção deles é treinada e estabilizada.

2
Sentar em círculo ou em U

Objetivos desta técnica: desenvolver a segurança, promover a educação participativa, melhorar a concentração, diminuir conflitos em sala de aula, diminuir conversas paralelas.

Certa vez, quando eu estava na quinta série do ensino fundamental, minha classe foi dividida em grupos. Cada grupo tinha de apresentar um trabalho na frente da turma. Muitos do meu grupo se recusaram a fazer tal façanha. Eu, mais ousado, fui em frente. Jamais tremi tanto. Minha voz ficou sufocada. Parecia tão fácil falar dentro do meu quarto, mas eu não conseguia coordenar minhas ideias na frente da classe. Hoje dou palestras para milhares de pessoas numa plateia. Mas não foi fácil superar esse conflito.

Por que é tão difícil falar sobre nossas ideias em público? Por que muitos têm dificuldade de estender a mão e fazer perguntas num anfiteatro? Por que algumas pessoas são eloquentes e seguras para falar com os íntimos mas completamente inibidas para discutir suas opiniões com estranhos ou em grupos de trabalho? Uma das grandes causas é o sistema escolar.

Apesar de parecer tão inofensivo enfileirar os alunos um atrás do outro na sala de aula, esta disposição é lesiva, produz distrações e obstrui a inteligência. O enfileiramento dos alunos destrói a espontaneidade e a segurança para expor as ideias. Gera um conflito caracterizado por medo e inibição.

O mecanismo é o seguinte: quando se está num ambiente social, detona-se um fenômeno inconsciente em frações de segundos, chamado gatilho na memória, que abre certos arquivos que contêm insegurança e bloqueios, gerando um estresse que obstrui a leitura de outros arquivos e dificultando a capacidade de pensar.

As grandes teorias educacionais não estudaram os papéis da memória. Por isso, elas não perceberam que bastam dois anos em que os alunos se sentam enfileirados na escola para gerar um trauma inconsciente. Um trauma que produz um grande desconforto para expressar as opiniões em reuniões, falar "não", discutir dúvidas em sala de aula. Alguns adquirem um medo dramático de receber críticas, e por isso se calam para sempre. Outros são superpreocupados com o que os outros pensam e falam a respeito deles. Você tem este trauma?

A escola clássica gera conflitos nos alunos sem perceber. Além de bloquear a capacidade de argumentar, o enfileiramento dos alunos coloca combustível na síndrome do pensamento acelerado, a SPA. O pensamento dos alunos vai a mil por hora.

Para os adultos já é difícil suportar a fadiga, a ansiedade e a inquietação da SPA. Agora, imagine para crianças e jovens obrigados a ficar sentados, inertes, e, ainda por cima, tendo como paisagem à sua frente a nuca dos seus colegas de classe? Para não explodir de ansiedade, eles tumultuarão o ambiente, terão conversas paralelas, mexerão com seus amigos. É uma questão de sobrevivência. Não os culpe. Culpe o sistema.

Como resolver esse problema? Fazendo com que os alunos se sentem em meia-lua, em U ou em duplo círculo. Eles precisam ver o rosto uns dos outros. Por favor, retirem os alunos da pré-escola à universidade do enfileiramento. Ele fomenta a inércia intelectual.

Educando com os olhos: os escultores da emoção

Guardem esta frase. A sala de aula não é um exército de pessoas caladas nem um teatro onde o professor é o único ator e os alunos, espectadores passivos. Todos são atores da educação. A educação deve ser participativa.

Em minha opinião, um quinto do tempo escolar deveria ser gasto com os alunos dando aulas na frente da classe. Os professores relaxariam nesse período, e os alunos se comprometeriam com a educação, desenvolveriam capacidade crítica, raciocínio esquemático, superariam a fobia social.

Peço aos mestres para darem especial atenção aos alunos tímidos. Eles têm diversos graus de fobia social, de expressar suas ideias em público. Estamos fabricando uma massa de jovens tímidos. Os tímidos falam pouco, mas pensam muito, e às vezes se atormentam com seus pensamentos. Já disse, os tímidos costumam ser ótimos para os outros, mas péssimos para si mesmos. São éticos e preocupados com a sociedade, mas não cuidam da sua qualidade de vida.

Os educadores são escultores da emoção. Eduquem olhando nos olhos, eduquem com gestos: eles falam tanto quanto as palavras. Sentar em forma de U ou em círculo aquieta o pensamento, melhora a concentração, diminui a ansiedade dos alunos. O clima da classe fica agradável e a interação social dá um grande salto.

3

Exposição interrogada: a arte da interrogação

Objetivos desta técnica: aliviar a SPA, reacender a motivação, desenvolver o questionamento, enriquecer a interpretação de textos e enunciados, abrir as janelas da inteligência.

Todo estresse é negativo? Não! O estresse só é negativo quando é intenso, bloqueia a inteligência e gera sintomas. Há um tipo de estresse positivo que abre as janelas da memória e nos estimula a superar obstáculos e resolver dúvidas. Sem este estresse, nossos sonhos se diluem, nossa motivação se esfacela. A educação produz o estresse positivo ou negativo? Frequentemente negativo! Por quê? Devido à transmissão do conhecimento frio, pronto e sem sabor.

Essa transmissão cria um ambiente sem desafios, aventura e inspiração intelectual. **Educar é provocar a inteligência, é a arte dos desafios.** Se um professor não conseguir provocar a inteligência dos alunos durante sua exposição, ele não o educou. O que é mais importante na educação: a dúvida ou a resposta? Muitos pensam que é a resposta. Mas a resposta é uma das maiores armadilhas intelectuais. Quem determina o tamanho da resposta é o tamanho da dúvida. A dúvida nos provoca muito mais do que a resposta.

A dúvida é o princípio da sabedoria em filosofia (Durant, 1996). Quanto mais um cientista, um executivo, um profissional duvidam das suas verdades, questionam o mundo ao seu redor, mais eles expandem o mundo das ideias e brilham. Os professores deveriam instigar a mente dos alunos e provocar-lhes a dúvida. Como?

Realizando a exposição interrogada a cada momento. Ao falar sobre o átomo, o professor deveria interrogar: "Quem nos garante que o átomo existe?", "Como podemos afirmar que ele é formado de prótons, nêutrons e elétrons?" Os professores de matemática, de línguas e de história deveriam aprender a *questionar* criativamente o conhecimento que expõem. As palavras "Por quê?", "Como?", "Onde?", "Qual o fundamento disso?" devem fazer parte da sua rotina.

A exposição interrogada gera a dúvida, a dúvida gera o estresse positivo, e este estresse abre as janelas da inteligência. Assim formamos pensadores, e não repetidores de informações. A exposição interrogada conquista primeiro o território da emoção, depois o palco da lógica, e em terceiro lugar, o solo da memória. Os alunos ficam supermotivados, se tornam questionadores, e não uma massa de pessoas manipuladas pela mídia e pelo sistema.

A exposição interrogada transforma a informação em conhecimento, e o conhecimento, em experiência. *O melhor professor não é o mais eloquente, mas o que mais instiga e estimula a inteligência.*

Formando mentes livres

Se os alunos ficam na escola durante quatro anos como meros ouvintes das informações, eles deixam de ser questionadores do mundo e de si mesmos e se tornam espectadores passivos. Alguns jovens, neste processo, se tornam arrogantes e insensíveis, adquirindo ansiedade e traços de psicopatia.

Do que se alimentam intelectualmente psicopatas ou ditadores? De verdades absolutas. Eles não duvidam, não questionam seus comportamentos inumanos. O mundo gira em torno das suas verdades. Eles ferem os outros e não sentem a sua dor. Para que um psicopata se liberte, ele precisa aprender a amar a arte da dúvida, pois só assim saberá se repensar e se colocar no lugar dos outros.

Os professores devem superar o vício de transmitir o conhecimento pronto, como se fossem verdades absolutas. Até porque, a cada dez anos, muitas verdades da ciência se tornam folclore e perdem seu valor.

Treine fazer pelo menos dez interrogações a cada aula. Não pense que isto é tão simples, pois exige um treinamento de seis meses. A educação emancipa, forma mentes livres (Adorno, 1971) e não robotizadas e controladas pelo consumismo, pela paranoia da estética, pela opinião dos outros.

4
Exposição dialogada:
a arte da pergunta

Objetivos desta técnica: desenvolver a consciência crítica, promover o debate de ideias, estimular a educação participativa, superar a insegurança, debelar a timidez, melhorar a concentração.

Outra ferramenta espetacular para transformar o solo árido da sala de aula num canteiro de flores é a exposição dialogada, executada pela arte da pergunta. Na exposição interrogada, o professor questiona o conhecimento sem perguntar, na exposição dialogada ele faz inúmeras perguntas aos alunos. As duas técnicas se complementam. Vejamos.

Através da arte da pergunta, o professor estimula mais ainda o estresse positivo da dúvida. Ele cativa a atenção dos alunos e penetra no território da emoção e no anfiteatro de suas mentes. *O conhecimento pronto estanca o saber e a dúvida provoca a inteligência* (Vigotsky, 1987). Todos os grandes pensadores foram grandes perguntadores. As grandes respostas emanaram das grandes perguntas.

Em qual época é mais fácil aprender? Na infância! Por quê? Porque ela é a fase em que mais perguntamos e abrimos as janelas da nossa mente. As crianças aprendem línguas com facilidade, não apenas porque estão menos entulhadas de informações na memória, mas porque são perguntadoras, interagem mais. Por que é mais fácil aprender uma língua diferente no país de origem dessa língua?

O grande motivo é quando se vai para um outro país, se passa vergonha, enfrenta-se dificuldades. Nesta hora os diplomas e o status social quase não têm valor. É preciso quebrar a cara para construir uma rede de relacionamentos e sobreviver. Para isso, precisamos perder o medo de perguntar. Esta situação nos estressa e abre de maneira espetacular os arquivos da memória, facilitando o aprendizado.

Quando uma pessoa para de perguntar, ela para de aprender, para de crescer. Em que época os cientistas produzem suas ideias mais brilhantes? Na maturidade ou quando ainda são imaturos? Quando imaturos, porque duvidam, se estressam e perguntam mais. Einstein propôs a teoria da relatividade com 27 anos. Depois que os cientistas recebem títulos e aplausos, surgem os problemas. Os mesmos títulos e louvores que os reconhecem podem se tornar o veneno que os mata como pensadores (Cury, 2002). Muitos se tornam estéreis.

Hoje, meus livros estão sendo publicados em mais de quarenta países. Por ser pesquisador dos bastidores da mente, estou preocupado, pois mesmo que não queira eu sei que esse sucesso já causou algum estrago em meu inconsciente. Preciso estar alerta, me reciclar e me esvaziar continuamente, para continuar sendo um engenheiro de novas ideias. Você deixou de aprender ou continua um voraz aprendiz? Muitos não percebem que deixaram de pensar...

Um professor fascinante deve fazer pelo menos dez perguntas para os alunos durante o tempo de uma aula. Deve primeiro fazer a pergunta para toda a classe. A pergunta já estressa positivamente os alunos e melhora a concentração. Se ninguém se atrever a responder, ele deve chamar um aluno pelo nome e perguntar-lhe. Independentemente da resposta, o aluno deve ser elogiado pela sua participação. Os alunos mais arredios são conquistados com este procedimento.

Viajando para dentro de si mesmos

A arte da pergunta gera pensadores brilhantes nas faculdades de medicina, direito, engenharia, pedagogia. Mas ela deve ser iniciada na pré-escola. Depois de um ano da arte da exposição interrogada e dialogada, os alunos perdem o medo de se expressar, aprendem a discutir as ideias e se tornam grandes viajantes. Como assim?

Aprendem a viajar para dentro de si mesmos, aprendem a perguntar porque estão angustiados, ansiosos, irritados, solitários, amedrontados. Aprendem não apenas a questionar o mundo de fora, mas também a fazer uma mesa-redonda com eles mesmos.

Quando treino psicólogos para atendimento clínico, sempre lhes falo sobre a grandeza dessa mesa-redonda interior. Quem é capaz de fazer este autodiálogo reedita o filme do inconsciente mais rápida e eficientemente.

Não basta um paciente fazer psicoterapia. Ele tem de ser autor da sua história, tem de aprender a intervir em seu próprio mundo. Mas, infelizmente, raras vezes as pessoas penetram em seu mundo, mesmo no meio médico. Quando o mundo nos abandona, a solidão é tolerável, mas quando nós mesmos nos abandonamos, a solidão é quase insuportável.

A arte da pergunta faz parte da educação dos nossos sonhos. Ela transforma a sala de aula e a sala da nossa emoção num ambiente poético, agradável, inteligente.

5
Ser contador de histórias

Objetivos desta técnica: desenvolver criatividade, educar a emoção, estimular a sabedoria, expandir a capacidade de solução em situações de tensão, enriquecer a socialização.

Educar é contar histórias. Contar histórias é transformar a vida na brincadeira mais séria da sociedade. A vida tem perdas e problemas, mas deve ser vivida com otimismo, esperança e alegria. Pais e professores devem dançar a valsa da vida como contadores de histórias.

O mundo é sério e frio demais. As notícias diárias denunciam crimes, desgraças, mortes, infortúnios. Toda esta avalanche de notícias ruins é arquivada no mercado da memória, gerando cadeias de pensamentos que tornam a vida triste, ansiosa e sem entusiasmo.

Temos de viver com mais suavidade. Aprender a rir das nossas tolices, comportamentos absurdos, manias, medos. Precisamos contar mais histórias. Os pais precisam ensinar a seus filhos, criando histórias. Os professores precisam contar histórias para ensinar as matérias com o tempero da alegria e, às vezes, das lágrimas.

Para contar histórias é necessário exercitar uma voz flutuante, teatralizada, que muda de tom durante a exposição. É preciso produzir gestos e reações capazes de expressar o que as informações lógicas não conseguem. Muitos pais e professores são dotados de grande cultura acadêmica, mas são engessados, rígidos, formais. Nem eles se suportam.

Há pessoas que não conseguem contar histórias? Não creio. Dentro de cada ser humano, mesmo dos mais formais, há um palhaço que quer respirar, brincar e relaxar. Deixe-o viver. Surpreenda os jovens. Nossos filhos precisam de uma educação séria, mas também agradável. Abra um sorriso, abrace os jovens, conte-lhes histórias.

Gritando dentro do coração, contando histórias suaves

As "estórias" podem resgatar as "histórias". A ficção pode resgatar a realidade. Como assim? Um professor de história nunca deveria falar da escravidão dos negros sem resgatar o período histórico. As informações secas sobre a escravidão não educam, não sensibilizam, não nos conscientizam nem provocam rejeição pelos crimes que nossa espécie cometeu.

Quando falar dos negros, o professor de História deveria criar histórias para fazer os alunos entenderem o desespero, os pensamentos, a angústia desses seres humanos por serem escravizados por membros da sua própria espécie. Nada melhor do que contar uma história real ou criar uma "estória" para levar os alunos a vivenciar o drama da escravidão.

Sem esse mergulho interior, a escravidão não gera um sólido impacto emocional. Não provoca uma rebelião decisiva contra a discriminação. A morte de milhões de judeus, ciganos e outras minorias não gera comoção, não cria vacinas intelectuais. Outros "Hitlers" serão produzidos. *Falar do conhecimento sem humanizá-lo, sem resgatar a emoção da história, perpetua nossas misérias e não as cura.*

Contar histórias também é psicoterapêutico. Sabe qual a melhor maneira de resolver conflitos em sala de aula? Não é agredir, dar gritos estridentes ou fazer um sermão. Estes métodos são usados desde a idade da pedra e não funcionam. Mas contar histórias. Contar histórias fisga o pensamento, estimula a análise.

Da próxima vez que um aluno ou um filho o agredir, leve-o a pensar. Grite dentro dele sendo educado, grite com suavidade, conte-lhe uma história. Os jovens poderão se esquecer das suas críticas e regras, mas não se esquecerão das suas histórias.

6
Humanizar o conhecimento

Objetivos desta técnica: estimular a ousadia, promover a perspicácia, cultivar a criatividade, incentivar a sabedoria, expandir a capacidade crítica, formar pensadores.

A educação clássica comete outro grande erro. Ela se esforça para transmitir o conhecimento em sala de aula, mas raramente comenta sobre a vida do produtor do conhecimento. As informações sobre química, física, matemática, línguas deveriam ter um rosto, uma identidade. O que significa isso?

Significa humanizar o conhecimento, contar a história dos cientistas que produziram as ideias que os professores ensinam. Significa também reconstruir o clima emocional que eles viveram enquanto pesquisavam. Significa ainda relatar a ansiedade, os erros, as dificuldades e as discriminações que sofreram. Alguns pensadores morreram por defender suas ideias.

A melhor maneira de produzir pessoas que não pensam é nutri-las com um conhecimento sem vida, despersonalizado. Sou crítico dos materiais didáticos belíssimos que expõem o conhecimento mas desprezam a história dos cientistas. Este tipo de educação causa aversão nos alunos, não provoca a arte de pensar.

Quantas noites de insônia, dificuldades e turbulências eu não passei para produzir uma nova teoria sobre o funcionamento da mente num país que não tem tradição de produzir cientistas teóricos! Produzir uma nova teoria é mais complexo do que fazer centenas de pesquisas. Mas nem todos valorizam esse trabalho.

Quais são meus alicerces intelectuais? Serão os meus sucessos, o reconhecimento da teoria e seu uso em teses de mestrado e doutorado? Não! Meus alicerces são as dores que passei, as inseguranças que vivenciei, as angústias que sofri, a superação do meu caos...

Por trás de cada informação dada com tanta simplicidade em sala de aula existem as lágrimas, as aventuras e a coragem dos cientistas. Mas os alunos não conseguem enxergá-las.

É tão importante falar da história da ciência e da história dos pensadores quanto do conhecimento que eles produziram. A ciência sem rosto paralisa a inteligência, descaracteriza o ser, o aproxima do nada (Sartre, 1997). Gera homens arrogantes, e não homens que pensam. Raramente um cientista causou danos à humanidade. Quem causou os danos foram os que utilizaram a ciência sem consciência crítica.

Paixão pela ciência: em busca de aventureiros

Como eu produzo conhecimento sobre a forma como construímos pensamentos, sempre me intrigou observar que um pensador gerava um conjunto de colegas pensadores na primeira geração e, na segunda, eles escasseavam. Por exemplo, muitos jovens amigos de Freud tornaram-se pensadores, como Jung e Adler. Depois da morte de Freud, muitos de seus seguidores se fecharam para novas possibilidades de pensamentos. Assim, não expandiram mais suas ideias, como fez a primeira geração, apenas as reproduziram ou repetiram.

Por que ocorre esse fenômeno inconsciente na ciência? Porque a primeira geração participou da história viva do pensador. Sentiu o calor dos seus desafios, das suas perseguições e da sua coragem, e por isso também abriu as janelas da sua inteligência e ousou criar, correr riscos, propor algo novo. A segunda geração não participou dessa história, por isso endeusou, e não humanizou o pensador.

Claro que há exceções, mas esse mecanismo é universal. Esteve presente na filosofia, no direito, na física, no sistema político, e até no meio dos líderes espirituais. Sabe quais são os piores inimigos de uma teoria e de uma ideologia? São seus defensores radicais. Há muito que falar sobre isso, mas não é o momento.

Diante disso afirmo convictamente que humanizar o conhecimento é fundamental para revolucionarmos a educação. Caso contrário, assistiremos a milhares de congressos de educação que não terão efeito intelectual algum. Os alunos, mesmo os que fazem mestrado e doutorado, serão no máximo atores coadjuvantes da evolução da ciência.

Creio que 10 a 20% do tempo de cada aula deveriam ser gastos pelos professores com o resgate da história dos cientistas. Esta técnica estimula a paixão pelo conhecimento e produz engenheiros de ideias. Os alunos sairão com um diploma na mão e uma paixão no coração. Serão aventureiros que enfrentarão e explorarão o mundo com maestria.

Os jovens sairão do ensino médio e universitário desejando se espelhar em modelos de empreendedores, tais como cientistas, médicos, juristas, professores, enfim, os atores que transformam o mundo, e não em modelos fotográficos e artistas que do dia para a noite ganham os holofotes da mídia. O conhecimento sem rosto e a indústria fantasiosa do entretenimento têm matado nossos verdadeiros heróis.

7
Humanizar o professor:
cruzar sua história

Objetivos desta técnica: desenvolver a socialização, estimular a afetividade, construir ponte produtiva nas relações sociais, estimular a sabedoria, superar conflitos, valorizar o "ser".

Antes do século XVI, a educação era normalmente feita por mestres que conviviam com os jovens. Estes se afastavam dos pais durante a adolescência, aprendiam a profissão de ferreiros, produtores de vinhos, etc. Muitos pagavam um preço emocional caríssimo, pois se isolavam dos pais dos 7 aos 14 anos, prejudicando a relação afetiva com eles.

Quando a escola se difundiu, houve um grande salto emocional, pois, além do ganho educacional que tinham nas escolas, as crianças retornavam todos os dias para o convívio com os pais. A afetividade entre eles cresceu. Pais abraçavam seus filhos diariamente. Palavras como *chéri* (querido) apareceram na França. Até a arquitetura das casas mudou. Surgiram os corredores laterais para os estranhos não invadirem o espaço íntimo da família.

Logo que a escola se difundiu, injetou combustível nas relações sociais. Foi um belo começo. A família era uma festa. Pais tinham tempo para os filhos, e os filhos admiravam seus pais. Mas, nos séculos seguintes, as relações se distanciariam muito. Hoje, pais e filhos mal têm tempo de conversar. E a relação escolar? Está pior.

Professores e alunos dividem o espaço de uma sala, mas não se conhecem. Passam anos muito próximos, mas são estranhos uns para os outros. Que tipo de educação é este que despreza a emoção e nega a história existencial?

Os animais não têm história, pois não percebem que são distintos do mundo, mas o ser humano percebe essa diferença e por isso constrói uma história e transforma o mundo (Freire, 1998). As escolas de pedagogia falham por não estimularem seus professores a se humanizarem em sala de aula. É fundamental humanizar o conhecimento, e primordial humanizar os mestres.

Os computadores podem informar os alunos, mas apenas os professores são capazes de formá-los. Somente eles podem estimular a criatividade, a superação de conflitos, o encanto pela existência, a educação para a paz, para o consumo, para o exercício dos direitos humanos.

Caros professores, cada um de vocês tem uma fascinante história que contém lágrimas e alegrias, sonhos e frustrações. Contem essa história em pequenas doses para seus alunos durante o ano. Não se escondam atrás do giz ou da sua matéria. Caso contrário, os temas transversais – responsáveis por educar para a vida, como a educação para a paz, para o consumo, para o trânsito, para a saúde – serão uma utopia, estarão na lei, mas não no coração.

A educação moderna está em crise, porque não é humanizada, separa o pensador do conhecimento, o professor da matéria, o aluno da escola, enfim, separa o sujeito do objeto. Ela tem gerado jovens lógicos, que sabem lidar com números e máquinas, mas não com dificuldades, conflitos, contradições e desafios. Por isso, raramente produz executivos e profissionais excelentes, pessoas que saem da mesmice e fazem a diferença.

As notas baixas têm grande valor na escola da vida

Encontrem algumas janelas dentro da aula para falar por alguns minutos sobre os problemas, metas, fracassos e sucessos que tiveram na vida. O resultado? Vocês educarão a emoção. Os seus alunos irão amá-los, vocês serão mestres inesquecíveis. Eles os identificarão com a matéria que vocês ensinam, terão apreço por suas aulas.

Ouçam também seus alunos. Penetrem no mundo deles. Descubram quem são. *Um professor influencia mais a personalidade dos alunos pelo que é do que pelo que sabe.*

Caros pais, vocês também possuem uma brilhante história. Como já comentei no início deste livro, falem de si mesmos, deixem seus filhos descobrirem seu mundo. A melhor maneira de prepará-los para a vida não é impor regras, fazer críticas, dar broncas, punir, mas falar dos seus sonhos, sucessos, inseguranças, falhas.

Educadores fascinantes não são infalíveis. Ao contrário, reconhecem erros, mudam de opinião se forem convencidos, e não enfiam as suas verdades "garganta abaixo" dos seus filhos e alunos. Estes comportamentos lúcidos são registrados de maneira excelente pelo fenômeno RAM (registro automático da memória), produzindo um jardim no mundo consciente e inconsciente dos jovens.

Vejam este exemplo. Jesus Cristo não controlava ninguém, apenas expunha suas ideias e convidava as pessoas a refletirem, dizendo: "quem tem sede...", "quem quiser me seguir...". Ele instigava a arte de pensar. Os grandes pacificadores, como Platão, Buda, Maomé, Gandhi, queriam formar homens livres.

Na escola da vida, as notas baixas nos ajudam mais do que

as notas altas. Falhar pode gerar, em certas situações, uma experiência mais rica do que acertar. Precisamos falar das nossas vitórias, mas também das nossas frustrações. Há muitos jovens deprimidos e fóbicos implorando com seus gestos e atitudes que um professor lhes conte uma história que os ajude.

Certa vez, uma coordenadora pedagógica de uma grande escola, que assistiu a uma das minhas conferências, motivada pela exposição, levantou-se diante da plateia e contou uma história comovente. Disse que há alguns meses uma das alunas a procurara para conversar sobre um problema.

A aluna estava visivelmente abatida, mas a coordenadora disse que não tinha tempo naquele momento e adiou a conversa para um outro dia. Infelizmente não houve tempo, pois a jovem tirou sua vida antes. Nunca alguns minutos foram tão importantes.

Quantos conflitos não serão evitados através de uma educação humanizada! Tenho convicção de que os professores que lerem este livro e começarem a entrar no mundo dos seus alunos agressivos, ansiosos ou represados evitarão não apenas muitos suicídios, mas também massacres em que jovens pegam armas e saem atirando em seus colegas e professores.

Antes de cometerem esses crimes, os jovens gritaram de diversas maneiras pedindo ajuda, mas ninguém os ouviu. Clamaram, mas ninguém entendeu a sua mensagem. Muitas pessoas já me disseram que o diálogo que mantive com elas evitou que desistissem da vida. Quando nós as ouvimos, elas também se ouvem e encontram seus caminhos. Mas são muitos os que têm medo de ouvir.

Não pensem que a prevenção de conflitos seja atribuição apenas de psiquiatras e psicólogos. Até porque é a minoria que procura ajuda psicológica. Os professores podem fazer muito mais do que imaginam.

Conquistando vantagens competitivas

Por favor, permita-me insistir neste ponto, pois nunca será demais enfatizar. A educação está errada no mundo todo. As escolas nasceram sem uma compreensão profunda dos papéis da memória e do processo de construção dos pensamentos. Embora não tenhamos dados estatísticos, creio, como disse, que pelo menos 90% das informações que aprendemos em sala de aula nunca serão recordadas.

Abarrotamos a memória e não sabemos o que fazer com tantas informações. A memória é especialista em sustentar o florescimento de novos pensamentos, a criatividade da inteligência. Vamos dar menos informações e cruzar mais nossas histórias.

Há muitas escolas que só se preocupam em preparar os alunos para entrar nas melhores faculdades. Elas erram por se focarem apenas neste objetivo. Mesmo que entrem nas melhores escolas, quando saírem, esses alunos poderão ter enormes dificuldades para dar solução a seus desafios profissionais e pessoais.

O sistema educacional está doente. Ultrapasse o conteúdo programático. *Peço aos mestres: encontrem espaços para humanizar o conhecimento, humanizar sua história e estimular a arte da dúvida*. Seus alunos não só darão um salto intelectual como terão vantagens competitivas. Quais?

Serão empreendedores, saberão fazer escolhas, correrão riscos para concretizar suas metas, suportarão os invernos da vida com dignidade. Serão mais saudáveis emocionalmente. Terão menos possibilidades de desenvolver conflitos e necessitar de um tratamento psicológico.

8
Educar a autoestima: elogiar antes de criticar

Objetivos desta técnica: educar a emoção e a autoestima, vacinar contra a discriminação, promover a solidariedade, resolver conflitos em sala de aula, filtrar estímulos estressantes, trabalhar perdas e frustrações.

O elogio alivia as feridas da alma, educa a emoção e a autoestima. Elogiar é encorajar e realçar as características positivas. Há pais e professores que nunca elogiaram seus filhos e alunos.

O meu livro *Você é Insubstituível* se tornou um grande fenômeno editorial em muitos países não pela grandeza do escritor, mas porque nele elogio a vida. Conto que todos nós cometemos loucuras de amor para estarmos vivos. Fomos os maiores alpinistas e os maiores nadadores do mundo para ganhar a maior disputa da história, uma disputa com mais de 40 milhões de concorrentes. Que disputa era essa?

A disputa do espermatozoide para fecundar o óvulo. Foi uma grande aventura. Muitos jovens dizem que não pediram para nascer. Outros desanimam ante qualquer problema. Outros ainda acham que nada dá certo na sua vida. Mas todos nascemos vencedores. Todas as dificuldades atuais são refrescos se comparadas aos graves riscos que enfrentamos para estarmos vivos no palco da existência. Os professores precisam comunicar esta história aos alunos. Ela tem contribuído para gerar uma sólida autoestima.

Como ajudar um aluno ou um filho que falhou, agrediu, teve reações inadmissíveis? Um dos maiores segredos é usar a técnica do elogiar-criticar. Primeiro, elogie algumas características dele. O elogio estimula o prazer, e o prazer abre as janelas da memória. Momentos depois, você pode criticá-lo e levá-lo a refletir sobre sua falha.

Criticar sem antes elogiar obstrui a inteligência, leva o jovem a reagir por instinto, como um animal ameaçado. O ser humano mais agressivo se derrete diante de um elogio, e assim fica desarmado para ser ajudado. Muitos assassinatos poderiam ser evitados se, no primeiro minuto de tensão, a pessoa ameaçada elogiasse o seu agressor.

Certa vez, um homem de origem alemã cujos avós sofreram trauma de guerra foi ao meu consultório. Ele era muito agressivo. Dizia que matava qualquer um que atravessasse seu caminho, inclusive seus filhos. Numa consulta falei algo de que ele não gostou, e ele tirou uma arma que estava escondida e me ameaçou. Sabe o que fiz?

Não me intimidei. Fitei seus olhos e o elogiei. Disse-lhe: "Como pode um homem inteligente precisar de uma arma para expor suas ideias?" E continuei: "O senhor sabe que tem uma grande capacidade intelectual e que pode através dela conquistar qualquer pessoa?"

O elogio o surpreendeu. Sua raiva se derreteu como gelo ao sol do meio-dia. Começou a chorar. A partir desse momento, teve uma excelente evolução em seu tratamento. Tornou-se um ser humano amável. Se eu não tivesse tido essa conduta talvez não estivesse aqui escrevendo.

Vacinando contra a discriminação

Experimente elogiar sua esposa, seu marido, seus filhos, seus alunos, seus colegas de trabalho antes de criticá-los. Sempre há motivos para valorizar. Encontre-os. Depois de elogiá-los, faça a sua crítica, mas fale uma vez só. Não é a repetição das palavras críticas que gera o momento educacional, mas seu registro privilegiado. Se usar essa técnica durante alguns meses, a sua relação social vai se tornar totalmente diferente. Você será capaz de conquistar as pessoas mais gélidas e insuportáveis.

Não há jovens problemáticos, mas jovens que estão passando por problemas. Elogie os jovens tímidos, obesos, discriminados, hiperativos, difíceis, agressivos. Encoraje aqueles de quem os outros zombam, os que se sentem diminuídos. *Ser educador é ser promotor de autoestima.*

Se eu pudesse, iria de escola em escola em várias partes do mundo treinando os professores para compreenderem o funcionamento da mente e entenderem que no pequeno espaço escolar são desencadeados grandes traumas emocionais. Em vez dos elogios, existem críticas agressivas. Frequentemente os alunos machucam seriamente um ao outro.

Não permita em hipótese alguma que os alunos chamem seus colegas de "baleia" ou "elefante" por eles serem obesos. Você não imagina o rombo emocional que esses apelidos provocam no solo do inconsciente. Não lhes permita falarem pejorativamente dos defeitos físicos e da cor da pele dos outros. Essas brincadeiras não são ingênuas. Produzem graves conflitos que não se apagam mais, só se reeditam. Discriminação é um câncer, uma mácula que sempre manchou nossa história.

Desde cedo ensinei minhas filhas a perceber que por trás de cada ser humano existe um mundo a ser descoberto. Elas têm aprendido a ser vacinadas contra a discriminação. Eu sou de origem europeia e oriental. Sabe qual é a cor das duas bonecas das minhas duas filhas mais novas, que têm nove e dez anos? Negra. Elas dormem felizes com suas bonecas de cor negra, apesar de sermos brancos. Eu não interferi nessa escolha. Elas aprenderam a amar a vida.

Ensine aos jovens, com palavras e sobretudo atitudes, a amar a espécie humana. Comente que, acima de sermos americanos, árabes, judeus, brancos, negros, ricos e pobres, somos uma espécie fascinante. Nos bastidores da nossa inteligência somos mais iguais do que imaginamos. Elogie a vida. *Leve os jovens a sonhar. Se eles deixarem de acreditar na vida, não haverá futuro.*

9
Gerenciar os pensamentos e as emoções

Objetivos desta técnica: resgatar a liderança do eu, resolver a SPA, prevenir conflitos, proteger os solos da memória, promover a segurança, desenvolver espírito empreendedor, proteger a emoção nos focos de tensão.

Certa vez uma estudante de engenharia me procurou queixando-se de depressão. Ela passara por sete psiquiatras e tinha tomado quase todos os tipos de antidepressivos. Estava desanimada. A vida não tinha cor. A esperança se dissipara. A dor da depressão, que é o último estágio do sofrimento humano, roubara-lhe o sentido da vida. Fiquei comovido com sua falência emocional.

Disse-lhe que ela não deveria se conformar em ser uma doente. Ela poderia virar o jogo. O resgate da liderança do seu eu seria capaz de potencializar o efeito dos medicamentos e resgatar seu encanto pela vida. Afirmei que ela tinha dentro de si ferramentas que estavam subutilizadas. Comentei que, apesar de importante, a medicação era um ator coadjuvante do tratamento. Quem é o ator principal? O gerenciamento dos pensamentos negativos e das emoções angustiantes.

Ela aprendeu que todo o lixo que passava pelo palco da sua mente era registrado automaticamente na memória e não podia mais ser deletado, apenas reeditado. Compreendeu que devia não apenas entender as mazelas do seu passado para fazer essa reedição, mas também criticar cada pensamento negativo e cada emoção perturbadora.

Assim, a jovem frágil pouco a pouco deixou de ser vítima dos seus problemas e começou a reescrever a sua história e a contemplar o belo. As flores apareceram depois do longo e insuportável inverno. Ficou mais bonita. Todos que passam pelo caos da depressão, do pânico, das fobias, das perdas, e o superam, ficam mais bonitos interiormente.

A autocomiseração, o conformismo, a falta de garra para lutar são sérios obstáculos à superação de um transtorno emocional. O gerenciamento dos pensamentos é o ponto central do tratamento psicoterapêutico de qualquer corrente de pensamento. Entretanto, precisamos também entender que este gerenciamento é o ponto central da educação, apesar de a ciência pouco compreender este assunto.

Se os jovens não aprenderem a gerenciar seus pensamentos, serão um barco sem leme, marionetes dos seus problemas. A tarefa mais importante da educação é transformar o ser humano em líder de si mesmo, líder dos seus pensamentos e emoções.

As escolas em todo o mundo ensinam os alunos a dirigir empresas e máquinas, mas não os preparam para ser diretores do script dos seus pensamentos. É incontável a quantidade de pessoas que têm sucesso profissional mas são escravas de seus pensamentos. Sua vida emocional é miserável. Enfrentam o mundo, mas não sabem remover o entulho da sua mente.

Tenho tratado de médicos, advogados, empresários, que

são inteligentes para lidar com problemas objetivos. No entanto, uma ofensa os derrota, uma crítica os destrói, uma decepção com seus íntimos provoca neles grande ansiedade. São fortes no mundo externo, mas frágeis líderes nos solos da sua psique.

Libertando-se do cárcere intelectual

Os professores fascinantes devem ajudar seus alunos a se libertar do cárcere intelectual. Como? Independentemente da matéria que ensinam, devem mostrar, pelo menos uma vez por semana, que eles podem e devem gerenciar seus pensamentos e emoções.

Seja contando histórias ou falando diretamente, os professores devem comentar que, se o eu que representa a vontade consciente não for líder dos pensamentos, ele será comandado. Não há dois senhores. Devem comentar que o ser humano tem tendência a ser carrasco de si mesmo. Precisam enfatizar que nossos piores inimigos estão dentro de nós. Só nós mesmos podemos nos impedir de sermos felizes e saudáveis.

Da mesma maneira, os pais precisam ensinar suas crianças e adolescentes a criticar suas próprias ideias negativas, a virar a mesa contra seus medos, a enfrentar as suas mágoas e timidez. Na minha opinião, gerenciar os pensamentos é uma das mais importantes descobertas da ciência atual, e com grande aplicabilidade na educação e na psicologia. Mas a educação, as escolas de pedagogia e as faculdades de psicologia ainda dormitam nessa área. Somos especialistas em formar pessoas passivas.

De que adianta aprender a equacionar problemas de matemática se nossos jovens não aprenderem a resolver os problemas da vida, de que adianta aprender línguas se não souberem falar de si mesmos?

Já é tempo de produzirmos autores e não vítimas da própria história. Já é tempo de prevenirmos doenças emocionais entre os jovens, em vez de esperar para tratá-las depois que elas afloram. Os jovens precisam de uma educação surpreendente.

10
Participar de projetos sociais

Objetivos desta técnica: desenvolver a responsabilidade social, promover a cidadania, cultivar a solidariedade, expandir a capacidade de trabalhar em equipe, trabalhar os temas transversais: a educação para a saúde, para a paz, para os direitos humanos.

Levar os jovens a se comprometer com projetos sociais é a décima técnica pedagógica que proponho. O compromisso social deve ser a grande meta da educação. Sem ele, o individualismo, o egoísmo e o controle de uns sobre os outros crescerão.

Participar de campanhas de prevenção contra a AIDS, drogas, violência, combate à fome pode contribuir para que os jovens sejam saudáveis psíquica e socialmente. Como vimos, eles amam o veneno do consumismo e do prazer imediato. Muitos só se importam consigo mesmos. Mas, reitero, eles não são culpados. Há milhões de imagens gravadas na sua memória consciente e inconsciente que os controlam sem que percebam.

Na realidade todos somos vítimas do sistema que criamos. Estamos cada vez mais perdendo nossa identidade, nos tornando uma conta bancária, um número de cartão de crédito, um consumidor em potencial. A minha crítica tem fundamento. O sistema social infiltra-se na caixa de segredos da personalidade, escasseando a produção de pensamentos singelos, tranquilos, serenos.

Em pesquisa que realizei com cerca de mil educadores sobre a opinião deles relativa à qualidade de vida dos jovens, os resultados foram espantosos. Eles consideram que 94% dos jovens estão agressivos e 6%, tranquilos; 95% estão alienados e 4% se preocupam com seu futuro. Para onde caminha a educação?

Jovens que fazem a diferença

Os jovens que são determinados, criativos e empreendedores sobreviverão no sistema competitivo. Os que não têm metas nem ousadia para materializar seus projetos poderão viver à sombra dos pais e engrossar a massa de desempregados. Jovens desqualificados intelectualmente prejudicam o futuro de uma nação. Por que a riqueza das nações sobe e desce? Por que as riquezas familiares não duram até a terceira geração? Por causa do material humano.

Precisamos qualificar nossos filhos e alunos. Eles devem sentir-se importantes na escola, precisam ser treinados a ser líderes. Devem participar das decisões familiares, como a compra do carro, o roteiro das viagens, a ida a restaurantes, e até no orçamento familiar. Precisam aprender a fazer escolhas. Assim aprenderão uma dura lição: **toda escolha implica perdas e não apenas ganhos.**

A síndrome SPA deixa nossos filhos agitados. Eles detestam rotina, e por isso reclamam que "não têm nada para fazer". Eles têm muito para fazer, mas a rotina exaspera a ansiedade. Se os engajarmos em projetos sociais, suas vidas darão uma guinada. A emoção deles será estruturada, o pensamento, aquietado, e de quebra aprenderão a importância de servir.

Como poderão subir no pódio se desprezam o treinamento? Como brilharão na sociedade se não têm conexão com ela? Considerar nossos filhos e alunos apenas como receptores de informações e consumidores de bens materiais é uma afronta à inteligência deles.

Precisamos formar jovens que façam a diferença no mundo, que proponham mudanças, que resgatem seu sentido existencial e o sentido das coisas (Ricoeur, 1960). Uma das causas que levam milhões de jovens a usar drogas, a ter depressão, a ser alienados e até pensar em suicídio é que eles não têm sentido de vida, nem engajamento social.

O tédio os consome. Por isso, numa atitude insana, eles partem para o uso de drogas, como tentativa de aliviar sua ansiedade e angústia, e não apenas para saciar sua curiosidade. Muitos jovens usam drogas como antidepressivos e tranquilizantes. Infelizmente, esta atitude os leva a viver na mais dramática prisão: o cárcere da emoção.

A educação não precisa de reforma, mas de uma revolução. A educação do futuro precisa formar pensadores, empreendedores, sonhadores, líderes não apenas do mundo em que estamos, mas do mundo que somos.

Aplicação das técnicas
do projeto escola da vida

Não podemos nos esquecer de que os professores do mundo todo estão adoecendo coletivamente. Os professores são cozinheiros do conhecimento, mas preparam o alimento para uma plateia sem apetite. Qualquer mãe fica um pouco paranoica quando seus filhos não se alimentam. Como exigir saúde dos professores se seus alunos têm anorexia intelectual? É por causa da saúde deles e de seus alunos que a educação tem de ser reconstruída.

As escolas que já aplicam as dez técnicas pedagógicas do projeto escola da vida estão assistindo a algo maravilhoso. O estresse dos professores e os gritos implorando silêncio diminuíram. Os níveis de ansiedade, as conversas paralelas e os atritos entre os alunos atenuaram-se. Cresceram a concentração, o prazer de aprender e a participação.

Uma diretora de uma escola pública que lia os meus livros me pediu ansiosamente ajuda. Ela chamava com frequência o policiamento para conter a agressividade entre os alunos. Comovido, treinei os professores. Eles aplicaram todas essas técnicas durante um ano. O resultado? Além de todos os ganhos intelectuais que já citei, não foi mais necessário chamar a polícia. Os gritos cessaram, os alunos se acalmaram, o respeito surgiu.

Nessa escola pública só há o ensino fundamental. Quando os alunos entraram em outra escola para cursar o ensino médio, os professores ficaram impressionados com a tranquilidade deles. Tornaram-se poetas da vida.

Diante de mudanças tão grandes, a diretora me disse: "Não acredito no que aconteceu na minha escola!" Não fiz muito, os professores é que merecem todos os aplausos. Talvez esta seja uma das raríssimas experiências mundiais de mudanças significativas na dinâmica da personalidade e no processo educacional com a aplicação de técnicas psicopedagógicas. O melhor de tudo é que a aplicação dessas técnicas não envolve dinheiro. Ela gera a escola dos nossos sonhos. Espero que milhares de escolas em todo o mundo entrem nesse sonho.

Qual é a escola dos seus sonhos? Para mim, é a escola que educa os jovens para extraírem força da fragilidade, segurança da terra do medo, esperança da desolação, sorriso das lágrimas e sabedoria dos fracassos.

A escola dos meus sonhos une a seriedade de um executivo à alegria de um palhaço, a força da lógica à singeleza do amor. *Na escola dos meus sonhos cada criança é uma joia única no teatro da existência, mais importante que todo o dinheiro do mundo.* Nela, os professores e os alunos escrevem uma belíssima história, são jardineiros que fazem da sala de aula um canteiro de pensadores.

Qual é a família dos seus sonhos? A família dos meus sonhos não é perfeita. Não tem pais infalíveis, nem filhos que não causam frustrações. É aquela em que pais e filhos têm coragem de dizer um para o outro: "Eu te amo", "Eu exagerei", "Desculpem-me", "Vocês são importantes para mim".

Na família dos meus sonhos não há heróis nem gigantes, mas amigos. Amigos que sonham, amam e choram juntos. Nela, os pais dão risadas quando perdem a paciência e os filhos debocham da própria teimosia. A família dos meus sonhos é uma festa. Um lugar simples, mas onde há gente feliz.

PARTE 6
A história da grande torre

Se metade do orçamento dos gastos militares no mundo fosse investido na educação, os generais se tornariam jardineiros; os policiais, poetas; os psiquiatras, músicos. A violência, a fome, o medo, o terrorismo e os problemas emocionais estariam nas páginas dos dicionários e não nas páginas da vida...

Quais são os profissionais mais importantes da sociedade?

Para finalizar este livro, contarei uma história que revela a perigosa direção para onde a sociedade está caminhando, a crise da educação e a importância dos pais e dos professores como construtores de um mundo melhor. Tenho contado essa história em muitas conferências, inclusive em congressos internacionais. Muitos educadores ficam tão sensibilizados que vão às lágrimas.

Num tempo não muito distante do nosso, a humanidade ficou tão caótica que os homens fizeram um grande concurso. Eles queriam saber qual a profissão mais importante da sociedade. Os organizadores do evento construíram uma grande torre dentro de um enorme estádio com degraus de ouro, cravejados de pedras preciosas. A torre era belíssima. Chamaram a imprensa mundial, a TV, os jornais, as revistas e as rádios para realizarem a cobertura.

O mundo estava plugado no evento. No estádio, pessoas de todas as classes sociais se espremiam para ver a disputa de perto. As regras eram as seguintes: cada profissão era representada por um ilustre orador. O orador deveria subir rapidamente num degrau da torre e fazer um discurso eloquente e convincente sobre os motivos pelos quais sua profissão era a mais importante da sociedade moderna. O orador tinha de permanecer na torre até o final da disputa. A votação era mundial e pela Internet.

Nações e grandes empresas patrocinavam a disputa. A categoria vencedora receberia prestígio social, uma grande soma em dinheiro e subsídios do governo. Estabelecidas as regras, a disputa começou. O mediador do concurso bradou: "*O espaço está aberto!*"

Sabem quem subiu primeiro na torre? Os educadores? Não! O representante da minha classe, a dos psiquiatras.

Ele subiu na torre e a plenos pulmões proclamou: "As sociedades modernas se tornarão uma fábrica de estresse. A depressão e a ansiedade são as doenças do século. As pessoas perderam o encanto pela existência. Muitas desistem de viver. A indústria dos antidepressivos e dos tranquilizantes se tornou a mais importante do mundo." Em seguida, o orador fez uma pausa. O público, pasmo, ouvia atentamente seus argumentos contundentes.

O representante dos psiquiatras concluiu: "O normal é ter conflitos, e o anormal é ser saudável. O que seria da humanidade sem os psiquiatras? Um albergue de seres humanos sem qualidade de vida! Por vivermos numa sociedade doentia, declaro que somos, juntamente com os psicólogos clínicos, os profissionais mais importantes da sociedade!"

No estádio reinou um silêncio. Muitos na plateia olharam para si mesmos e perceberam que não eram alegres, estavam estressados, dormiam mal, acordavam cansados, tinham uma mente agitada, dores de cabeça. Milhões de espectadores ficaram com a voz embargada. Os psiquiatras pareciam imbatíveis.

Em seguida, o mediador bradou: "*O espaço está aberto!*" Sabem quem subiu depois? Os professores? Não! O representante dos magistrados – os juízes de direito.

Ele subiu num degrau mais alto e num gesto de ousadia desferiu palavras que abalaram os ouvintes: "Observem os índices de violência! Eles não param de aumentar. Os sequestros, assaltos e a violência no trânsito enchem as páginas dos jornais. A agressividade nas escolas, os maus-tratos infantis, a discriminação racial e social fazem parte da nossa rotina. Os homens amam seus direitos e desprezam seus deveres."

Os ouvintes menearam a cabeça, concordando com os argumentos. Em seguida, o representante dos magistrados foi mais contundente: "O tráfico de drogas movimenta tanto o dinheiro como o petróleo. Não há como extirpar o crime organizado. Se vocês querem segurança, aprisionem-se dentro de suas casas, pois a liberdade pertence aos criminosos. Sem os juízes e os promotores, a sociedade se esfacela. Por isso, declaro, com o apoio dos promotores e do aparelho policial, que representamos a classe mais importante da sociedade."

Todos engoliram em seco essas palavras. Elas perturbavam os ouvidos e queimavam na alma. Mas pareciam incontestáveis. Outro momento de silêncio, agora mais prolongado. Em seguida, o mediador, já suando frio, disse: *"O espaço está novamente aberto!"*

Um outro representante mais intrépido subiu num degrau mais alto da torre. Sabem quem foi desta vez? Os educadores? Não!

Foi o representante das forças armadas. Com uma voz vibrante e sem delongas, ele discursou: "Os homens desprezam o valor da vida. Eles se matam por muito pouco. O terrorismo elimina milhares de pessoas. A guerra comercial mata milhões de fome. A espécie humana se esfacelou em dezenas de tribos. As nações só se respeitam pela economia e pelas armas que possuem. Quem quiser a paz tem de se preparar para a guerra. Os poderes econômico e bélico, e não o diálogo, são os fatores de equilíbrio num mundo espúrio."

Suas palavras chocaram os ouvintes, mas eram inquestionáveis. Em seguida, ele concluiu: "Sem as forças armadas, não haveria segurança. O sono seria um pesadelo. Por isso, declaro, quer se aceite ou não, que os homens das forças armadas não são apenas a classe profissional mais importante, mas também a mais poderosa." A alma dos ouvintes gelou. Todos ficaram atônitos.

Os argumentos dos três oradores eram fortíssimos. A sociedade tinha se tornado um caos. As pessoas do mundo todo, perplexas, não sabiam qual atitude tomar: se aclamavam um orador, ou se choravam pela crise da espécie humana, que não honrou sua capacidade de pensar.

Ninguém mais ousou subir na torre. Em quem votariam?

Quando todos pensavam que a disputa havia se encerrado, ouviu-se uma conversa no sopé da torre. De quem se tratava? Desta vez eram os professores. Havia um grupo deles da pré-escola, do ensino fundamental, do médio e do universitário. Eles estavam encostados na torre dialogando com um grupo de pais. Ninguém sabia o que estavam fazendo. A TV os focalizou e projetou num telão. O mediador gritou para um deles subir na torre. Eles se recusaram.

O mediador os provocou: "Sempre há covardes numa disputa." Houve risos no estádio. Fizeram chacota dos professores e dos pais.

Quando todos pensavam que eles eram frágeis, os professores, com o incentivo dos pais, começaram a debater as ideias, permanecendo no mesmo lugar. Todos se faziam representar.

Um dos professores, olhando para o alto, disse para o representante dos psiquiatras: "Nós não queremos ser mais importantes do que vocês. Apenas queremos ter condições para educar a emoção dos nossos alunos, formar jovens livres e felizes, para que eles não adoeçam e sejam tratados por vocês." O representante dos psiquiatras recebeu um golpe na alma.

Em seguida, um outro professor que estava no lado direito da torre olhou para o representante dos magistrados e disse:

"Jamais tivemos a pretensão de ser mais importantes do que os juízes. Desejamos apenas ter condições para lapidar a inteligência dos nossos jovens, fazendo-os amar a arte de pensar e aprender a grandeza dos direitos e dos deveres humanos. Assim, esperamos que jamais se sentem num banco dos réus." O representante dos magistrados tremeu na torre.

Uma professora do lado esquerdo da torre, aparentemente tímida, encarou o representante das forças armadas e falou poeticamente: "Os professores do mundo todo nunca desejaram ser mais poderosos nem mais importantes do que os membros das forças armadas. Desejamos apenas ser importantes no coração das nossas crianças. Almejamos levá-las a compreender que cada ser humano não é mais um número na multidão, mas um ser insubstituível, um ator único no teatro da existência."

A professora fez uma pausa e completou: "Assim, eles se apaixonarão pela vida, e, quando estiverem no controle da sociedade, jamais farão guerras, sejam guerras físicas que retiram o sangue, sejam as comerciais que retiram o pão. Pois cremos que os fracos usam a força, mas os fortes usam o diálogo para resolver seus conflitos. Cremos ainda que a vida é obra-prima de Deus, um espetáculo que jamais deve ser interrompido pela violência humana."

Os pais deliraram de alegria com essas palavras. Mas o representante do judiciário quase caiu da torre.

Não se ouvia um zumbido na plateia. O mundo ficou perplexo. As pessoas não imaginavam que os simples professores que viviam no pequeno mundo das salas de aula fossem tão sábios. O discurso dos professores abalou os líderes do evento.

Vendo ameaçado o êxito da disputa, o mediador do evento disse arrogantemente: "Sonhadores! Vocês vivem fora da realidade!" Um professor destemido bradou com sensibilidade: "Se deixarmos de sonhar, morreremos!"

Sentindo-se questionado, o organizador do evento pegou o microfone e foi mais longe na intenção de ferir os professores: "Quem se importa com os professores na atualidade? Comparem-se com outras profissões. Vocês não participam das mais importantes reuniões políticas. A imprensa raramente os noticia. A sociedade pouco se importa com a escola. Olhem para o salário que vocês recebem no final do mês!" Uma professora fitou-o e disse-lhe com segurança: "Não trabalhamos apenas pelo salário, mas pelo amor dos seus filhos e de todos os jovens do mundo."

Irado, o líder do evento gritou: "Sua profissão será extinta nas sociedades modernas. Os computadores os estão substituindo! Vocês são indignos de estar nesta disputa."

A plateia, manipulada, mudou de lado. Condenou os professores. Exaltou a educação virtual. Gritou em coro: "*Computadores! Computadores! Fim dos professores!*" O estádio entrou em delírio repetindo esta frase. Sepultaram os mestres. Os professores nunca haviam sido tão humilhados. Golpeados por essas palavras, resolveram abandonar a torre. Sabem o que aconteceu?

A torre desabou. Ninguém imaginava, mas eram os professores e os pais que estavam segurando a torre. A cena foi chocante. Os oradores foram hospitalizados. Os professores tomaram então outra atitude inimaginável: abandonaram, pela primeira vez, as salas de aula.

Tentaram substituí-los por computadores, dando uma máquina para cada aluno. Usaram as melhores técnicas de multimídia. Sabem o que ocorreu?

A sociedade desabou. As injustiças e as misérias da alma aumentaram mais ainda. A dor e as lágrimas se expandiram. O cárcere da depressão, do medo e da ansiedade atingiu grande parte da população. A violência e os crimes se multiplicaram. A convivência humana, que já estava difícil, ficou intolerável. A espécie humana gemeu de dor. Corria o risco de não sobreviver...

Estarrecidos, todos entenderam que os computadores não conseguiam ensinar a sabedoria, a solidariedade e o amor pela vida. O público nunca pensara que os professores fossem os alicerces das profissões e o sustentáculo do que é mais lúcido e inteligente entre nós. Descobriu-se que o pouco de luz que entrava na sociedade vinha do coração dos professores e dos pais que arduamente educavam seus filhos.

Todos entenderam que a sociedade vivia uma longa e nebulosa noite. A ciência, a política e o dinheiro não conseguiam superá-la. Perceberam que a esperança de um belo amanhecer repousa sobre cada pai, cada mãe e cada professor, e não sobre os psiquiatras, o judiciário, os militares, a imprensa...

Não importa se os pais moram num palácio ou numa favela, e se os professores dão aulas numa escola suntuosa ou pobre – eles são a esperança do mundo.

Diante disso, os políticos, os representantes das classes profissionais e os empresários fizeram uma reunião com os professores em cada cidade de cada nação. Reconheceram que tinham cometido um crime contra a educação. Pediram desculpas e rogaram para que eles não abandonassem seus filhos.

Em seguida, fizeram uma grande promessa. Afirmaram que a metade do orçamento que gastavam com armas, com o aparato policial e com a indústria dos tranquilizantes e dos antidepressivos seria investida na educação. Prometeram resgatar a dignidade dos professores, e dar condições para que cada criança da Terra fosse nutrida com alimentos no seu corpo e com o conhecimento na sua alma. Nenhuma delas ficaria mais sem escola.

Os professores choraram. Ficaram comovidos com tal promessa. Há séculos eles esperavam que a sociedade acordasse para o drama da educação. Infelizmente, a sociedade só acordou quando as misérias sociais atingiram patamares insuportáveis.

Mas, como sempre trabalharam como heróis anônimos e sempre foram apaixonados por cada criança, cada adolescente e cada jovem, os professores resolveram voltar para a sala de aula e ensinar cada aluno a navegar nas águas da emoção.

Pela primeira vez, a sociedade colocou a educação no centro das suas atenções. A luz começou a brilhar depois da longa tempestade... No final de dez anos os resultados apareceram, e depois de vinte anos todos ficaram boquiabertos.

Os jovens não desistiam mais da vida. Não havia mais suicídios. O uso de drogas dissipou-se. Quase não se ouvia falar mais de transtornos psíquicos e de violência. E a discriminação? O que é isso? Ninguém se lembrava mais do seu significado. Os brancos abraçavam afetivamente os negros. As crianças judias dormiam na casa das crianças palestinas. O medo se dissolveu, o terrorismo desapareceu, o amor triunfou.

Os presídios se tornaram museus. Os policiais se tornaram poetas. Os consultórios de psiquiatria se esvaziaram. Os psiquiatras se tornaram escritores. Os juízes se tornaram músicos. Os promotores se tornaram filósofos. E os generais? Descobriram o perfume das flores, aprenderam a sujar suas mãos para cultivá-las.

E os jornais e as TVs do mundo? O que noticiavam, o que vendiam? Deixaram de vender mazelas e lágrimas humanas. Vendiam sonhos, anunciavam a esperança...

Quando esta história se tornará realidade? Se todos sonharmos este sonho, um dia ele deixará de ser apenas um sonho.

Considerações finais

Enquanto escrevia o final deste livro tive o desejo de reunir alguns dos professores do passado, fazer um jantar para eles e agradecer-lhes. Também fiquei motivado a reunir meus pais fora de datas comemorativas e dizer-lhes o quanto eles foram importantes para mim. Se você tiver um desejo semelhante, faça o mesmo. Se não valorizamos as nossas raízes, não temos como suportar as intempéries da vida.

O poético sonho do resgate do valor da educação, esculpido pela história da grande torre, ainda é uma miragem no deserto social. Enquanto a sociedade ainda não acorda, gostaria de terminar este livro prestando uma homenagem aos pais e aos professores. Esta homenagem só não é mais eloquente devido às minhas limitações.

A editora e o autor permitem o uso do texto da "grande torre" para encenação teatral nas escolas, com o objetivo de homenagear os pais e os mestres, desde que citada a fonte (N.A.).

Homenagem aos professores

Em nome de todos os alunos do mundo, queremos agradecer todo o amor com que trataram até hoje a educação. Muitos de vocês gastaram os melhores anos de sua vida, alguns até adoeceram, nessa árdua tarefa.

O sistema social não os valoriza na proporção da sua grandeza, mas tenham a certeza de que, sem vocês, a sociedade não tem horizonte, nossas noites não têm estrelas, nossa alma não tem saúde, nossa emoção não tem alegria.

Agradecemos seu amor, sabedoria, lágrimas, criatividade, perspicácia, dentro e fora da sala de aula. O mundo pode não os aplaudir, mas o conhecimento mais lúcido da ciência tem de reconhecer que vocês são os profissionais mais importantes da sociedade.

Professores, muito obrigado. Vocês são mestres da vida.

Homenagem aos pais

Em nome de todos os filhos do mundo, agradeço a todos os pais por tudo o que fizeram por nós. Obrigado pelos seus conselhos, carinho, broncas, beijos. O amor os levou a correr todos os riscos do mundo por nossa causa. Vocês não deram tudo o que queriam para cada filho, mas deram tudo o que tinham.

Vocês deixaram seus sonhos para que pudéssemos sonhar. Deixaram seu lazer para que tivéssemos alegria. Perderam noites de sono para que dormíssemos tranquilos. Derramaram lágrimas para que fôssemos felizes. Perdoem-nos pelas falhas e principalmente por não reconhecermos seu imenso valor. Ensinem-nos a sermos seus amigos...

Nossa dívida é impagável. Nós lhes devemos o amor...

Queridos pais e professores, o tempo pode passar e nos distanciar, mas jamais se esqueçam de que ninguém morre quando se vive no coração de alguém. **Levaremos por toda a nossa história um pedaço do seu ser dentro do nosso próprio ser.**

FIM

Referências bibliográficas

ADORNO, T. Educação e Emancipação. Rio de Janeiro: Paz e Terra, 1971.

CURY, Augusto. Inteligência Multifocal, São Paulo: Cultrix, 1998.

_____. Revolucione Sua Qualidade de Vida. Rio de Janeiro: Sextante, 2002.

_____. Análise da Inteligência de Cristo. São Paulo: Academia de Inteligência, 2000.

DURANT, Will. História da Filosofia. Rio de Janeiro: Nova Fronteira, 1996.

GARDNER, Howard. Inteligências Múltiplas. Porto Alegre: Artes Médicas, 1995.

GOLEMAN, Daniel. Inteligência Emocional. Rio de Janeiro: Objetiva, 1996.

FOUCAULT, Michel. "A doença e a existência" in Doença mental e psicologia. Rio de Janeiro: Folha Carioca, 1998.

FREIRE, Paulo. Pedagogia da Autonomia: saberes necessários à prática educativa. Rio de Janeiro: Paz e Terra, 7ª edição, 1998.

FREUD, Sigmund. Obras completas de Sigmund Freud. Rio de Janeiro: Imago, 1969.

NIETZSCHE, F. Humano Demasiado Humano. Lisboa: Relógio D'Água, 1997.

PIAGET, Jean. Biologia e conhecimento. Petrópolis: Vozes, 2ª edição, 1996.

PLATÃO. "República. Livro VII", in Obras completas, edição bilíngue. Paris: Les Belles Lettres, 1985.

RICOEUR, P. L'homme falible. Paris: Seuil, 1960.

SARTRE, Jean-Paul. O ser e o nada. Petrópolis: Vozes, 1997.

VIGOTSKY, L. A formação social da mente. São Paulo: Martins Fontes, 1987.

LEIA UM TRECHO DE OUTRO TÍTULO DO AUTOR

O homem mais inteligente da história

1. A era dos mendigos emocionais

O Secretário-Geral da Organização das Nações Unidas, a ONU, deu início à reunião de emergência sobre a violência no mundo. Os principais líderes políticos das nações, assim como pensadores das mais diversas áreas, estavam presentes. Os números mostravam um aumento assustador da violência não apenas nos países pobres e emergentes, mas também nas nações mais ricas.

– *Bullying* nas escolas, violência contra mulheres e crianças, assédio moral nas empresas, agressões sexuais, corrupção na política, sabotagem no mercado, exclusão de imigrantes, suicídios, homicídios, terrorismo. Enfim, o leque de violência nas sociedades modernas é enorme. Vivemos o apogeu do progresso material, o ápice da era digital, mas não estancamos a hemorragia da violência ao redor do mundo. Ao contrário, ela está aumentando... É incompreensível! – concluiu, preocupado. – Está aberto o debate para encontrarmos soluções sustentáveis.

Muitos presidentes, ministros e parlamentares fizeram suas considerações. Alguns poucos sociólogos também mencionaram o adensamento populacional, as crises econômicas, a exclusão social e outros tantos problemas como fatores agravantes.

Quando a conferência se aproximava do fim e os presentes já estavam cansados de ouvir as mesmas discussões, o Secretário-Geral retomou a palavra:

– A ONU agradece a participação dos líderes mundiais nesta grande conferência sobre as causas e soluções para a violência na era moderna. Faremos um relatório que será enviado a todas as nações, embora eu tenha a impressão de que ainda falta um diagnóstico adequado da questão.

— E falta mesmo! — proclamou Marco Polo, um psiquiatra pesquisador que estava entre os espectadores.

Estressado, o Secretário-Geral advertiu:

— Sinto muito, senhor, mas o debate não está aberto à plateia.

— As grandes ideias não são propriedade das lideranças políticas, mas da mente de quem as pensa — confrontou-o Marco Polo.

Pego de surpresa, o Secretário-Geral da ONU pensou melhor.

— Abrirei uma exceção. Seu nome?

— Marco Polo — apresentou-se de forma breve.

— Seja rápido, por favor. A hora está avançada — pediu delicadamente o Secretário.

Polêmico, ousado, provocador, Marco Polo sentiu-se à vontade:

— Senhoras e senhores, não apenas pisamos na superfície do planeta Terra, mas também na camada superficial do *planeta emoção*. Está em curso uma verdadeira explosão de transtornos psíquicos e sociais. E uma das grandes razões para isso é o fato de a educação clássica ter se tornado excessivamente cartesiana, lógica, linear, desprezando as habilidades socioemocionais capazes de proteger a psique. Se não mudarmos o paradigma fundamental da educação, seremos uma espécie inviável!

A plateia se agitou.

— Mudar o paradigma da educação? Como assim, senhor Marco Polo? — questionou um intrigado ministro canadense que estava na primeira fila.

— A educação mundial precisa passar da era da informação para a era do Eu como gestor da mente humana! A primeira gera gigantes na ciência, mas crianças no território da emoção; a segunda cria seres humanos bem resolvidos, coerentes e altruístas.

O tema era completamente novo e, ao mesmo tempo, perturbador. As pessoas que haviam bocejado nos últimos discursos mostravam-se agora despertas.

— O que é ser gestor da mente humana? — questionou uma senadora americana. — Nunca ouvi falar dessa tese!

— Ser gestor da mente humana é saber gerenciar os pensamentos, proteger a emoção, libertar a criatividade e se tornar protagonista da própria história. A educação clássica crê que a maneira de formar mentes brilhantes é bombardear o cérebro com milhões de dados e fazer os alunos assimilá-los. Isso é um grande engano!

— Mas há séculos a educação é assim, detentora e transmissora das informações mais relevantes da sociedade — retrucou o ministro da Educação da França.

— Sim, doutor, mas essa educação não funciona mais, pelo menos não coletivamente. A mente dos nossos alunos mudou muitíssimo. Assim como não é possível dar tinta e pincéis a uma máquina e esperar que ela crie obras-primas como as que Da Vinci, Van Gogh e Rafael pintaram, não é possível formar obras-primas na tela da mente humana com esse estilo de educação. As pessoas precisam aprender a pensar coletivamente, a ser altruístas, a se colocar no lugar do outro e ser tolerantes às frustrações!

Nesse momento, Marco Polo pediu licença para fazer algumas projeções no telão. Ele sempre levava consigo um pen-drive com os vídeos e as animações que costumava utilizar em suas palestras. No entanto, seu pedido foi negado.

— Não será permitido. Está tarde, senhor — falou com arrogância um assistente do Secretário-Geral.

— Se a plateia não quiser me ouvir, sento-me agora — respondeu com segurança Marco Polo.

Isso fez a plateia chiar. Os espectadores agora pareciam sedentos por ouvir as novas ideias que o psiquiatra trazia.

O pedido foi então reconsiderado. Autorizado pelo Secretário-Geral, Marco Polo entregou seu pen-drive ao técnico responsável e começou a mostrar imagens reais: carros sendo conduzidos de maneira irresponsável, em alta velocidade, desrespeitando as normas de trânsito e causando acidentes horríveis. Em seguida completou:

— Nosso intelecto é um veículo mental complexo e o dirigimos de forma irresponsável. Por quê? Porque as escolas e as universidades não educam o Eu, que representa a capacidade de escolha, o livre-arbítrio, a consciência crítica para estar ao volante. Um olhar atravessado estraga o dia, uma crítica asfixia a semana, uma traição pode comprometer uma vida.

— Está sugerindo que estamos na infância do Eu como diretor da mente? — indagou o primeiro-ministro francês, indignado.

— Sim. É isso que estou afirmando! — respondeu com convicção.

Em seguida, com o cuidado de preservar a identidade das pessoas envolvidas, projetou no telão situações gravíssimas que mostravam jovens contrariados se mutilando e garotas anoréxicas, só pele e ossos.

— E sabem por que essas meninas estão magras como os pobres famintos da África subsaariana? — indagou Marco Polo. — Porque se sentem gordas. A ditadura da beleza está matando nossos jovens por dentro.

Em seguida mostrou cenas de pessoas anônimas cometendo os mais diversos tipos de violência e até assassinatos por motivos banais.

— Pequenas contrariedades geram reações desproporcionais. Estamos na era do descontrole emocional.

Era possível perceber a perplexidade no rosto dos que assistiam à apresentação de Marco Polo. Um político famoso que estava na primeira fileira lembrava silenciosamente que no dia anterior gritara com a esposa como se ela fosse sua escrava: "Saia da minha frente, sua débil mental! Esse terno não combina com essa gravata!" Sentia-se envergonhado.

Marco Polo seguia com a apresentação:

— As vacinas nos protegem contra viroses, mas quais vacinas podem prevenir a violência e os transtornos psíquicos? Sem mudar a educação, é impossível. Qual delas você daria a quem você ama? Normalmente nenhuma! Estamos acostumados a dar broncas, apontar falhas, tecer críticas...

— Mas quem tem dentro de si um manual de regras de comportamento não faz um bom trabalho educacional? – questionou um senador republicano dos Estados Unidos.

— Desculpe-me, mas quem possui apenas um manual de regras está apto a consertar máquinas, não a formar mentes brilhantes.

CONHEÇA OS TÍTULOS DE AUGUSTO CURY

Ficção

Coleção O homem mais inteligente da história
O homem mais inteligente da história
O homem mais feliz da história
O maior líder da história

O futuro da humanidade
A ditadura da beleza e a revolução das mulheres
Armadilhas da mente

Não ficção

Coleção Análise da inteligência de Cristo
O Mestre dos Mestres
O Mestre da Sensibilidade
O Mestre da Vida
O Mestre do Amor
O Mestre Inesquecível

Nunca desista de seus sonhos
Você é insubstituível
O código da inteligência
Os segredos do Pai-Nosso
A sabedoria nossa de cada dia
Revolucione sua qualidade de vida
Pais brilhantes, professores fascinantes
Dez leis para ser feliz
Seja líder de si mesmo

sextante.com.br